D1371641

LES
JEUX
DE L'AMOUR
ET DE LA MORT

Éditions du Masque
17, rue Jacob - 75 006 Paris
www.lemasque.com

LES
JEUX
DE L'AMOUR
ET DE LA MORT

Fred Vargas

ISBN : 978-2-7024-3832-9

Conception graphique et couverture : WE-WE

1

Continue comme ça, se dit Tom, et tu sais très bien comment ça va se terminer. Ça va se terminer mal, voilà comment ça va se terminer. Et le mieux serait d'abord de bouger de ce foutu banc. Le mieux serait de trouver quelque chose d'intelligent à faire, quelque chose qui me donne envie de bouger. Certainement, il allait se lever. Il n'y avait pas à s'en faire là-dessus. Tout de même, il avait assez mal aux jambes à force et puis il avait encore trop chaud.

L'après-midi n'était pas bien engagée, c'était certain. La soirée de même. Bon dieu, il aurait tellement juré ce matin, en sortant de chez lui, que quelque chose de sensationnel allait lui tomber dessus, il était tellement sûr que ça allait être une journée d'exception.

Exception de merde, oui, se dit Tom. Cela lui apprendrait. Cela lui apprendrait à s'emballer comme ça. C'était bien fait. Pourquoi est-ce qu'il fallait toujours qu'il s'emballe ? Si cela se trouvait, il n'était pas un peintre génial. Il était un peintre de merde et puis c'est tout. C'est tout ce qu'il y a à tirer de toi.

Il se redressa et chassa ses idées en battant l'air avec sa main. La tranche en bois de ce foutu dossier de banc lui rentrait dans les os peut-être même bien dans les os du bassin et bouger lui ferait sans doute sur le coup un peu plus mal. Dans un moment il aurait un bleu. Eh bien, ce n'était pas si mal. Un bleu de bonne qualité, murmura Tom, ça vous change les idées, ça vous occupe, ça le distrairait une fois pour toutes. Un quart d'heure au moins que je lis cette réclame sur le mur d'en face. Tu ferais mieux de te secouer très vite sinon tu sais parfaitement comment ça va finir quand c'est parti comme ça. Mais combien est-ce qu'il avait fait de galeries dans la journée ?

Une vingtaine. Vingt-cinq, peut-être. Tom récapitula sur ses doigts. C'était cela, vingt-cinq galeries d'imbéciles qui ne comprenaient rien à rien.

Le pire avait eu lieu chez Fréville, ce déchet, qui n'avait pas regardé son dossier plus de deux secondes, c'était un comble, et qui avec cette espèce de bouche dégoûtante, avait craché son diktat sans savoir de quoi il était question au juste. De toute manière il n'exposait que des croûtes, et c'était aussi bien que cela n'ait pas marché avec lui. Il fallait reconnaître que Chevalier avait été plutôt gentille. Elle était sacrément belle et ça aurait été quelque chose de travailler avec elle. Mais ce que faisait Tom ne tombait pas dans son créneau, c'est ce qu'elle lui avait dit doucement – mais alors si doucement que Tom ne pouvait pas lui en vouloir. Et le gros, Reder, qui avait déclaré que de la peinture comme ça, on n'en faisait plus depuis cinq ans. Tom avait répondu que les cravates larges ne se portaient plus depuis quinze ans et tout s'était mal terminé.

Il tapa du pied sur le banc pour se faire du bien et du mouvement. Il n'était tout compte fait pas très content de ses chaussures. Lui et Jeremy étaient très à cheval sur ce qui touchait les questions de chaussures. La chaussure, disait Jeremy avec un peu de gravité, c'est ce qui demeure quand tout le reste change. C'est le noyau résistant, la partie rétive de l'être aux fluctuations du temps. Et encore, Tom ne se souvenait pas de tout. Jeremy avait une théorie convaincante sur les chaussures, et c'était un très gros point commun entre eux deux. Sur le coup, quand il avait acheté celles-là, il avait cru bien faire et tout compte fait non. La droite faisait un pli. La boucle était trop fluette par rapport à la couture. Et la couture elle-même, à bien la regarder, était un petit peu minable. On était loin, très loin de la perfection.

Que le diable emporte et grille dans d'atroces souffrances toutes ces galeries de peinture et tous les épiciers qui les accompagnent. Sauf Chevalier qui aurait la vie sauve.

Tom soupira. Il dégénérait. Il fallait qu'il laisse ce banc de supplice et qu'il aille boire un café quelque part.

De l'autre côté de la rue, il y eut tout à coup un groupe bruyant. Une voix de femme aux inflexions chaleureuses calculées lui fit lever la tête avec un sourire. Il aimait savoir pourquoi, de temps en temps, on pouvait se mettre à trafiquer sa voix, alors qu'on savait très bien que cela ne trompait jamais personne, et que tout le monde pensait tout de suite « tiens, elle est amoureuse » ou n'importe quoi d'autre.

Il sursauta en voyant devant la porte du café d'en face la haute stature de R.S. Gaylor. Oui, il dépassait bien tous les autres d'une tête, Gaylor. C'était vraiment lui. Gaylor en personne, Gaylor le magnifique, Gaylor le consacré, le peintre chéri du xxe siècle. Tom ne pouvait jamais penser à lui sans l'imaginer en train de régler ses notes dans les plus grands restaurants en laissant un rond à l'encre sur la nappe, avec un G en dessous, ce qui lui semblait le comble de la divinité moderne. Il y avait les pré-Gaylor, les Gayloristes (les ignorants disaient les Gayloriens), les néo-Gaylor, les pseudo-Gaylor, mais le vrai Gaylor était là à dix pas de lui.

2

Tom ne l'avait jamais vu de sa vie mais ce n'était pas difficile de le reconnaître. Les journalistes passaient leur temps à chasser sa figure, et depuis des années les articles à sa gloire se succédaient dans un style invariable et désolant. Des choses à propos de la splendeur vigoureuse du visage de R.S. Gaylor, qui n'avait pas peu fait pour lui gagner des dévotions désespérées et propager sa gloire, de l'éclat chaleureux du regard, de la flamboyante majesté du sourire qui avaient fait sans conteste du célèbre peintre l'une des personnalités les plus magnétiques de Paris... Tom trouvait cette littérature exaspérante mais il n'avait jamais pu s'empêcher de la lire. Et il était assez honnête pour admettre qu'il aurait volontiers fait l'échange avec sa tête à lui, qui n'était pas mal bien sûr, mais sur laquelle on ne se retournait pas dans la rue.

Et il se comptait, parce qu'il n'y avait pas moyen de faire autrement, parmi les admirateurs de « l'incontournable œuvre peinte » de Gaylor, devant lequel il avait si souvent baissé les bras.

En ramassant toute son attention, il regarda l'homme qui se rapprochait. Regarde-le bien. C'est lui et tu as l'occasion de le voir en vrai, alors regarde-le vraiment à fond, tu n'as pas beaucoup de temps. Et que cette femme affolée cesse donc de l'agripper ou je ne vais rien voir du tout. Mais qu'elle le lâche, bon dieu !

La femme lâcha. Gaylor passa tout près du banc, il s'arrêta même quelques secondes pour saluer un ami qui s'éloignait, et c'est comme ça que Tom le vit tout à fait bien. Il enregistra le mouvement lourd de la main, le regard, le sourire, l'oreille très grande, dont il n'avait jamais entendu parler, avec un petit diamant dessus.

Tom fut très atteint et resta figé comme un imbécile. Un peu plus il allait les suivre. Et comme il avait une tendance à l'adulation, qu'il justifiait en l'érigeant en principe, il choisit, par principe, de se laisser entraîner dans une rêverie valorisante qu'il centra autour de thèmes classiques mais qui l'émouvaient presque toujours.

Après ça, il décida d'aller sans plus traîner raconter son affaire à quelqu'un. Ça semblait valoir le coup d'être raconté. Tant pis pour la soirée qu'il s'était promis de passer, solitaire, vertigineuse, avec une nourriture de misère. Ce serait pour une autre fois. Tom était sûr de retrouver une occasion.

Il eut à faire plusieurs cafés avant de repérer un groupe de ses amis. Ils allaient dîner. C'est vrai, c'était mercredi. Ce soir-là, quand Jeremy était d'humeur, ils se rassemblaient souvent chez lui. Jeremy avait une espèce de nostalgie des salons brillants du siècle passé, où l'on avait ses jours. Le mieux était d'aller raconter cela à Jeremy. Ils allaient pouvoir passer un moment à ranger ses idées et cela ferait beaucoup de bien. Décidément, Jeremy avait bien fait de laisser tomber la peinture, où Tom ne l'avait jamais trouvé bon, pour les Sciences Physiques qui lui allaient à la perfection. Tom avait toujours su que Jeremy finirait par retourner à la physique. Pourvu simplement qu'il n'ait pas passé l'après-midi à chercher des tissus, ou bien on ne pourrait pas parler. C'était la seule chose agaçante avec lui, cette espèce de passion idiote pour les tissus. Quand il était dans les reps, les fils de trame et les fils de chaîne, il n'y avait plus moyen de le faire écouter quoi que ce soit. Il devenait borné et autoritaire.

— Est-ce que Lucie sera là ? demanda Tom.

— Qu'est-ce que cela peut te faire ? Tu n'as pas à t'occuper de ça. Laisse Lucie tranquille.

— J'ai toujours pensé que tu ne valais rien, Guillaume. Tu ne vaux rien. Ne m'énerve pas. Ce n'est pas le jour. Vraiment pas le jour. Est-ce que quelqu'un d'autre sait si Lucie sera là ce soir ?

Guillaume cassa son verre sur le rebord de la table et Tom se dressa. Georges s'interposa et le patron du café mit tout le monde dehors.

— C'est malin, dit Tom.

Il ne savait plus s'il avait toujours envie d'aller dîner avec eux. Guillaume était détestable. Lui aussi, Guillaume, avait cherché Lucie. Il avait même été le premier à lui dire qu'elle ressemblait à Ava Gardner, ce qui était très vrai. Quand ils étaient tous les quatre au cours du soir à dessiner des plâtres antiques, ils l'avaient tous cherchée. Très bien, et alors ? C'est Jeremy qui avait vaincu et personne n'en avait fait une histoire. Tom se passa la main dans les cheveux. Cela durait maintenant depuis trois ans et il n'arrivait toujours pas à être vraiment tranquille avec elle. Il s'appliquait pourtant, personne ne pouvait dire qu'il ne s'appliquait pas. Il avait même aimé des milliers de femmes depuis.

Il n'y avait pas à s'inquiéter pour ça.

Jeremy était inabordable. Tom s'aperçut tout de suite avec lassitude qu'il avait voulu bien faire les choses et qu'il avait dressé la table avec outrance. Entêté, Jeremy passait de l'un à l'autre, tentant de briser l'indifférence générale à l'égard de ce drap damassé qui était sa dernière trouvaille.

Ce soir ils étaient neuf. Tom entendait la conversation traîner et il en saisissait des fragments qui s'attardaient sur des questions de sucre de betterave et de sucre de canne, sur des histoires de différences mécaniques entre la voûte d'arêtes et la voûte d'ogives, sur la vulgarité de Liz Taylor, sur l'éthologie du rat, tous thèmes d'importance mondiale, songeait Tom et qui n'arrivaient pas à l'intéresser. D'habitude pourtant, il était capable d'argumenter avec passion sur n'importe quoi, et surtout il était horriblement susceptible sur la question de Liz Taylor, sur laquelle il ne tolérait pas la moindre allusion dépréciative ; mais pour le moment il préférait rester au bout de la table, manger du pain, et laisser Lucie se charger, très bien d'ailleurs, de la défense.

Jeremy passa derrière lui.

— Que se passe-t-il Tom ? Liz se fait traîner dans la boue en ta présence et tu ne bouges même pas. Je trouve cela assez moche de ta part.

Tom se retourna et attrapa le dossier de sa chaise.

— J'ai rencontré cet après-midi quelque chose d'incontournable. À présent, c'est installé dans ma tête et cela occupe tout l'espace. Et je t'assure, il n'y a rien à faire, je ne peux pas m'en débarrasser.

— Est-ce que Tom se décide à parler ? De quoi s'agit-il ? appela Georges.

— Il s'agit de Gaylor, que j'ai rencontré, dit Tom à voix basse.

— Gaylor le magnifique ! Tom a rencontré Gaylor le magnifique ! Et depuis tu ne dis plus un mot, Tom ? C'est cela ?

Georges éclata de rire et Tom se défendit comme il le put. Il avait l'impression de ne pas trouver les termes qu'il fallait, et il s'égarait d'autant plus qu'il sentait qu'il s'expliquait très mal, avec des mots idiots.

— Tom est devenu fou ! Il entasse ineptie sur ineptie. De quoi as-tu l'air Tom ? D'un pauvre type. Tu as tout à fait l'air d'un pauvre type. Jeanne, vois-tu ce malheureux qui vacille ? Et puis qui va tomber ? Est-ce qu'on peut faire quelque chose contre ça ?

Georges s'adorait, il était grisé. Il se préparait à la plus pénible de ses prestations.

— Tiens-toi tranquille Georges !

C'est Jeremy qui avait crié. Il était resté derrière la chaise de Tom et il en serrait le dossier à deux mains. Georges s'était mis debout et Tom aussi. Cela faisait deux fois aujourd'hui qu'il se préparait au combat.

— Qu'est-ce qui te prend crétin ? dit Tom qui commençait à trembler un peu. Tu n'as pas à hurler comme ça. Ça n'a pas de sens. Tu n'écoutes même pas les mots que tu prononces. Et moi je n'ai jamais dit qu'il était divin ou tout ce que tu veux. J'ai simplement dit qu'il était...

— Magnétique. Très bien Tom, je recule. Au fond, ce n'est pas si grave l'amour. N'est-ce pas ?

Jeanne rit et tout le monde se retourna vers elle. Elle était déjà ivre et cela se voyait.

— C'est vrai Tom, pourquoi te débattre ? Dévale donc la pente de ton nouveau destin, que risques-tu ? Tu ne seras jamais que la millième proie du sourire ravageur du grand Gaylor. C'est amusant tu verras.

— Tu es saoule, Jeanne.

— Je suis peut-être saoule, mais tu t'es fait attraper comme un insecte. Et tu te feras broyer les os comme tout le monde.

— Il n'y a pas d'os dans les insectes, dit Tom.

— Tu n'as pas à te faire de bile Tom. Cela peut arriver à n'importe qui. Dis-lui, Louis, dis-lui comment sont tes os maintenant !

— Arrête-toi Jeanne, dit Louis.

— Louis est rouge.

— Je suis rouge et je n'aime pas parler de ces histoires, tu le sais. Cela ne regarde personne ici.

— Mais c'est vrai que tu as connu Gaylor ? demanda Tom.

— Et après ? À quoi ça t'avance ?

— Louis est violet, commenta Georges.

— Va te faire foutre Georges, dit Louis. Que tout le monde aille se faire foutre !

— C'est cela, dit Jeremy. C'est exactement cela. Que tout le monde aille se faire foutre et que tout le monde se rasseye et que tout le monde se taise.

Jeremy avait l'air tellement résolu à on ne sait quoi qu'il fut obéi. D'ailleurs, tout le monde en avait assez, et Jeanne pleura dans sa serviette. Jeremy se retourna vers elle sèchement et lui demanda si c'était tout le cas qu'elle faisait de son damassé. Après quoi, toute la soirée fut atroce, et Tom et Louis ne voulaient plus dire un mot. Georges était désolé de s'être énervé mais il n'avait pas pu faire autrement. Et au bout du compte, pensa Jeremy, aucun d'eux ne saura jamais vraiment la différence entre l'arête et l'ogive. Lui seul, tenace, songerait à vérifier cette question dans le dictionnaire tout à l'heure. Tom le souciait un peu et il s'était fait bien abîmer ce soir. Il faut dire aussi qu'il avait tout fait pour. Il était heureux que Tom n'en soit pas venu aux mains, il pouvait être redoutable et Georges n'aurait pas tenu le coup.

Ce soir, il raccompagnerait Tom jusqu'à chez lui.

— Maintenant écoute-moi bien, lui dit-il. (Ils avançaient tous les deux dans la nuit.) Écoute-moi bien parce que tu ne vas pas faire une montagne de cette histoire. Tu veux le connaître, tu te débrouilles, tu lui montres tes toiles et tu ne t'énerves pas comme ça.

— Qu'est-ce qui est arrivé à Louis quand il était avec Gaylor ?

— Je n'en sais rien. C'était il y a au moins vingt ans, tu sais. Ne t'occupe pas de ça.

— Qu'est-ce qui s'est passé ?

— Mais je te dis que je n'en sais rien ! J'étais petit, à l'époque. Ne t'occupe pas de ça, qu'est-ce que ça a comme importance ?

— Qu'est-ce que tu sais de Gaylor ?

— Ce que tout le monde sait.

— C'est-à-dire ?

— D'origine polonaise. Le père a émigré tout jeune en Amérique. C'est là probablement que toute la famille a changé de nom. Ils devaient s'appeler Galorsky ou quelque chose qui y ressemble. Ensuite, il commence à se faire connaître un peu partout. Vers 1950, à moins de trente ans, rends-toi compte, il était déjà très bien coté. Ensuite, il n'a pas cessé de grimper jusqu'à ce que ça manque de mal tourner, vers 1960 je crois. Ensuite...

— Attends, tu vas trop vite. Qu'est-ce qui a manqué mal tourner ?

— Ne me dis pas que tu n'as pas entendu parler de ça. Tout le monde sait ça.

— Moi, je ne le sais pas. À peine.

— D'abord, sa femme est morte. Bien. On a dit que ça lui aurait fichu un tel coup qu'il aurait fait exprès, peu de jours après, d'aller s'envoyer dans un arbre avec sa voiture. D'autres ont dit qu'il avait trop bu. Les deux sont possibles. Tiens, par exemple...

— Non, s'il te plaît, continue sur Gaylor.

— Comme tu voudras. Tu le devines, il s'est raté. Mais de pas grand-chose. Ça lui a tout de même valu des mois de clinique. Trois ou quatre mois. Il était salement arrangé. Enfin on l'a réparé, tout propre, sauf cette cicatrice sur toute la joue et son œil toujours un peu clos. Remarque bien que la cicatrice, la balafre comme on dit, bien portée comme c'est le cas, ce n'est pas forcément un désavantage. Ça peut même avoir un certain succès. Ce n'est pas tout le monde, tu comprends.

— Mais l'œil, en revanche, n'est pas une réussite.

— Non, c'est vrai.

— Que sais-tu encore ?

— Je sais tout, sourit Jeremy. Après cela, il ne voulait plus peindre. Rien à faire. Il y a eu une sacrée panique chez les marchands, je te prie de me croire. Mais lui, superbe, il s'est mis à boire comme un trou – pour oublier, a-t-on chuchoté – et à passer son temps dans les bas-fonds les plus sulfureux de San Francisco. Il s'y est fait une réputation terrible, vraiment terrible.

— En faisant quoi ?

— Tu as des questions idiotes. Débauches, drogues, exhibitions, alcool, divers.

— De qui tiens-tu tout ça ?

— De la rumeur, d'abord. Et puis d'un type qui était avec lui à Frisco, qui était avec lui dans les bars.

— Louis ?

— Si tu veux. Louis ou un autre.

— Je vois. Tu respectes tes informateurs.

— Pourquoi pas ? Bref, tu connais les Américains. Cinglés mais ne plaisantant pas avec la morale et la religion. L'histoire s'est installée, bien poisseuse, dans les journaux. On le suivait à la trace pour nourrir les feuilles à scandale. Ils ont tout mis sur la table publique de la Nation. Gaylor aux enchères. Une sacrée merde. Les romanesques le pardonnaient, les autres réclamaient sa peau. Il a fini par en avoir par-dessus la tête, Gaylor, mets-toi à sa place, et il a tout plaqué un beau matin. L'Amérique, tout. C'est comme ça qu'il a débarqué à Paris, vers 63 ou 64. Il n'en a plus bougé depuis, sauf pour quelques expos où il tenait à être présent. Oui, parce que tout compte fait, il s'était remis à peindre, mieux que jamais. Ses détracteurs disaient déjà qu'il était vidé, mais c'était faux. Et attends, il s'est même remarié. Mais vraiment, cela m'étonne que tu ne saches pas tout cela.

— Jusqu'ici, cela m'était égal de savoir ce qu'il avait bien pu faire ou pas. Et maintenant comment vit-il ?

— Plutôt rangé. Grandes soirées, cour d'adulateurs, mondanités. Et de temps en temps, il met tout le monde dehors et il s'enferme chez lui pendant des semaines. Après quoi, il sort une toile ou deux, et ça se vend des millions. Des millions de millions.

— Comment sais-tu tout ça, toi ?

— Mais je te l'ai dit, enfin ! Le type de Frisco, et puis je me suis un peu intéressé au personnage il fut un temps. De toute façon, c'est dans les journaux. C'est une histoire qu'ils adorent. Si tu ne te contentais pas des gros titres des voisins dans le métro. Ceci dit, il paraît que si tu l'approches, tu te laisses charmer. On raconte qu'il est impressionnant comme ça à première vue, mais que si tu l'approches, tu te laisses charmer. Ce doit être un sacré type.

— Est-ce que Louis s'est fait charmer ?

— Sûrement. Moi, je pense qu'il est toujours intéressant d'aller voir des gens comme lui de plus près. Tout le reste qu'on colporte à son sujet, ça n'a pas tellement d'importance. Georges est comme tout le monde. Il aime en parler mais il ne sait pas du tout qui il est.

— C'est bien. Tu dis les choses comme il faut qu'elles soient.

— Ne t'attendris pas Tom. Je dis ce que je sais, c'est tout.

— Tu crois que je devrais tâcher de le voir ?

— Tu m'énerves à la longue.

— J'irai le voir, de toute manière. Et tu verras, il s'intéressera à moi.

— Je verrai.

Tom divagua encore un peu dans les rues noires. Il se demandait si dans sa pure et nouvelle passion, il n'y avait pas par hasard un ferment un peu vil touchant sa propre soif de célébrité. Il imagina Gaylor en boucher pour voir s'il l'aurait trouvé si bien que ça. Ça n'avait pas de sens de s'en faire comme ça. Après tout, quelle importance ? aurait dit Jeremy. C'était aussi bien de jouer à Gaylor qu'à autre chose. À partir de demain, il se mettrait sérieusement en quête d'un bon coup pour pouvoir approcher le peintre. Tom choisit de penser que seuls sa lassitude et son désir de brusquer la vie l'avaient accroché à cette planche qui passait par-là. Cela semblait être une très bonne planche, qui le mènerait on ne sait où et c'était là l'essentiel. Ce ne serait pas la première fois de toute façon. Tom sourit et mit ses mains au chaud dans ses poches. La fois où il avait attendu quarante-deux heures de voir passer Dietrich, embusqué dans l'avenue Montaigne avec une réserve de vivres, avait été formidable. Mais les choses en étaient restées là.

3

Il fallut au moins quinze jours à Tom avant
qu'il ne découvre un bon cheval. À force de fureter
dans tous les sens, il avait fait la connaissance
d'un type qui ne payait pas de mine. Mais il avait
le gros avantage d'avoir bien connu Gaylor là-bas,
aux Amériques. Le Gaylor « d'avant la sale passe »,
avait-il dit en rougissant. Il n'avait plus rien
voulu savoir du Gaylor de pendant la sale passe.
Mais à présent il avait pardonné. À un moment,
ils avaient été vraiment liés au point que Gaylor
avait fait son portrait, 0,80 sur 0,60, à lui, Saldon.
C'était son nom, Robert Henry Saldon. Tom adorait les doubles prénoms des Américains, et il
buvait verre sur verre avec sa nouvelle trouvaille.
Saldon avait dérapé, raté sa carrière d'artiste,
et maintenant il était commis dans une boîte de
cosmétiques. Gaylor avait fait son portrait, on ne
pouvait pas lui sortir ça de la tête. Jamais il ne le

vendrait, dût-il crever de faim. Il avait l'air de ne s'en être jamais remis.

Il y avait quelque chose de navrant et de rétréci dans tout son aspect, mais Tom était bien décidé à n'en pas tenir compte. De passage à Paris pour la première fois de sa vie, où sa société l'envoyait pour apprécier le terrain, il avait conçu dans l'avion le projet excitant de revoir son vieil ami R.S. C'est comme ça qu'il l'appelait, avec une satisfaction d'ex-intime que Tom jugeait légitime. Et c'est tout cela qui intéressait Tom. Se faire prendre en cordée par Saldon qui l'emmènerait jusqu'au bord du cratère.

Convaincre le petit homme ne paraissait pas très difficile car il était d'excellente composition. Tom le sortit plusieurs fois dans la ville et Saldon trouvait tout bien, et il trouvait Tom encore mieux. Il était ruisselant de reconnaissance. Et à mieux le connaître, le type n'était pas ennuyeux, comme on pouvait le redouter, mais plutôt intriguant.

Avant les cosmétiques, expliqua-t-il un soir à Tom, il n'avait pas toujours fait du commerce. Il était portraitiste, et il était très doué, et il s'installait dans les bons endroits où les touristes, ou n'importe qui, lui demandaient leurs portraits. Il les faisait au crayon mine de plomb. Il avait du succès bien sûr, mais enfin cela ne suffisait pas à le faire vivre.

— Surtout, à voir et à dessiner des centaines de visages, dit-il à Tom en s'emballant, des milliers de visages, des tonnes de visages, je m'étais imaginé les classer par grandes catégories, et ensuite je ne pouvais plus m'empêcher de classer. J'avais mis au point vingt et une catégories pour les hommes et vingt-six pour les femmes, et je prenais des notes sur tous mes clients : pour cette forme de visage-là, quelles mains allais-je trouver ? et quels avant-bras ? et quel habillement ? Les correspondances, les corrélations n'en finissaient plus. C'était stupéfiant. J'avais fini par accumuler des tas de dossiers de nez, de coudes, d'oreilles, je déduisais l'un de l'une et vice-versa, et tout ce fatras de fatalité physiologique me parut brusquement affreux.

Saldon se rejetait en arrière sur la banquette, essoufflé.

— Vous rendez-vous au moins compte, Thomas, comme cela pouvait devenir terrifiant ?

— Oui, je me rends compte, assurait Tom, qui pensait avant tout que Saldon était un peu cinglé.

— Et à la longue toute cette histoire m'a flanqué la frousse. J'ai laissé tomber le livre universel que j'avais projeté sur la question, et j'ai cherché ce que je pourrais faire de vraiment tranquille. J'ai eu cette place dans les cosmétiques et je m'y suis agrippé.

— C'est tranquille, les crèmes, dit Tom.

— C'est très tranquille en effet. Et puis ça sent bon.

— C'est ça surtout, ajouta Tom.

Il se fit un silence. Tom se demandait comment Saldon avait bien pu endurer sa face grasse et ses mains blanches et molles où aucune articulation ne semblait vivre, et dans quelle désolante catégorie il avait dû être contraint de se classer. Il soupira. Enfin, il se foutait de Saldon après tout. Que cet Américain cinglé cesse un peu de parler de lui et le mène à R.S., c'était tout ce qu'il demandait. Mais Saldon, une fois lancé, ne voulait plus s'interrompre, et Tom eut toutes les peines du monde à l'arracher à son verre et à l'évocation maussade des folies du passé.

— Oui, dit Saldon, je vais revoir R.S. Ça lui fera très plaisir de me revoir. Quand je pense combien il est riche maintenant !

C'est à ce moment que Saldon fondit en larmes avec bruit. Tom était assez embêté. Oui, il voulait demander un peu d'argent à R.S., il avait fait son portrait, non ? Qu'est-ce que c'était un peu d'argent pour R.S. ? Rien. Du papier, de la bagatelle, du rien. Et qu'est-ce qu'il avait à dire contre, Thomas ? Et qu'est-ce qu'il lui voulait, à la fin ?

Tom lui tamponna les yeux avec une serviette en papier et lui assura qu'il ne cherchait pas à le contrarier, et qu'il ne voyait aucun inconvénient à ce qu'il sollicite un petit prêt, qu'il trouvait même que c'était une idée excellente. Mais comment est-ce qu'il comptait s'y prendre ? Avec une carte, renifla Saldon soulagé. Une carte d'invitation pour la grande soirée que le peintre donnait la semaine prochaine et dont on parlait dans les journaux. Mais comment l'avait-il eue cette invitation ? Saldon hésita. C'était la femme de Gaylor qui la lui avait offerte. L'Espagnole. Il s'était présenté chez Gaylor, mais il n'était pas là, et comprenant qu'elle avait affaire à un ancien ami, Madame Gaylor lui avait offert une carte. Elle avait dit que ce serait mieux de le rencontrer à cette soirée, car Gaylor serait très occupé jusque-là. Elle lui avait offert cette carte très gentiment. Oui c'était une invitation pour deux, et d'accord il emmènerait Tom, parce que Tom était un brave type pas emmerdeur et qu'il comprenait que R.S. pouvait bien le secourir sans qu'il y ait de la honte à en avoir.

Toute la journée précédant la soirée, Tom s'agita sans but précis, incapable de donner à ses promenades ou à ses pensées une forme un peu solide. Il avait rendez-vous à 9 heures avec Saldon. Au début de l'après-midi, il avait déjà changé cinq fois sa tenue et appelé un tas de gens à qui il n'avait rien d'important à dire. Finalement il avait avalé deux calmants et attendu en fumant que le temps coule.

Il piétina une demi-heure en attendant Saldon qui fut ponctuel. Il parut à Tom encore plus dés-ossé que d'habitude, soit que les calmants aient modifié sa propre perception, soit que Saldon redoutât cette rencontre, vingt-deux ans plus tard. Après tout, c'est le genre d'épreuve qui n'est pas forcément facile. Tom vérifia que les photos de ses tableaux étaient bien installées au fond de sa poche intérieure. Il préféra les sortir pour contrôler qu'il s'agissait bien d'elles. Ensuite, il s'en assura juste une seule fois, de crainte qu'en les replaçant, elles ne se soient échappées. Saldon le regardait s'affoler avec intérêt, et Tom, qui avait les tempes humides, fut gêné de son regard et crut qu'il voulait le classer. Qui sait si Saldon au fond avait jamais perdu cette manie ? Tom se sentait d'humeur précipitée et maniaque, ce qui était détestable pour ce qu'il comptait faire ce soir. Il avala à sec un dernier calmant. C'était amer mais cela le rendrait tout à fait maître de lui-même. Ce qui fait qu'il parvint, chancelant et nauséeux, devant la porte de l'immeuble, au 25.

Il y avait au moins trois cents personnes et on croisait des invités qui cherchaient de l'air jusque dans l'escalier et la rue. C'était un peu la fête publique du peintre, celle qu'il abandonnait en pâture aux médias, aux avides et aux curieux, qui n'avaient pas autrement l'occasion de se glisser dans un cercle qui défendait terriblement ses privilèges. Les avides, tous là, riaient très fort. Dont tu es pensa Tom qui souhaita brusquement être resté dans son lit. Se tenant à Saldon, il se fit un chemin vers la grande salle et la foule se reformait derrière eux comme lorsqu'on trace une ligne éphémère dans un liquide. Enfant, Tom avait passé des minutes fascinées à scruter l'évolution de ces chemins fugaces dans son assiette de soupe, et à tenter d'en retarder la disparition. Mais ce soir il ne fallait pas s'égarer dans ce genre de choses, ce soir il fallait être un homme d'action. Dans la grande salle, on avait installé le buffet, et près de lui, on pouvait espérer se donner une allure passable. Saldon s'arrêta brutalement à son seuil et Tom le vit se tendre.

— Sald ! Sald, que t'arrive-t-il ?

Et en le touchant, Tom le sentit glissant de sueur. Le temps qu'il s'écarte avec un peu de dégoût et qu'il purifie sa main en la chauffant dans la poche de son pantalon, Saldon avait repris sa consistance normale.

— Ce n'est rien, sourit-il, et Tom lui trouva le sourire malheureux. C'est tout ce monde, tous ces gens. Je n'ai plus l'habitude, je dois être impressionné probablement. Je suis content que tu sois venu avec moi. Mais à présent chacun pour soi. C'est mieux. On se retrouvera tout à l'heure.

Et Saldon disparut, plantant Tom qui chercha ses cigarettes pour donner le change à son désarroi. Qu'est-ce qui lui avait pris, à Saldon ? Il avait vu en entrant quelque chose de curieux, cela ne faisait pas de doute. Tom laissa filer sa pensée quelques instants et considéra les groupes les plus proches. Qui Saldon avait-il vu ? Il n'y avait là rien ni personne qui semblât sensationnel. Évidemment il y avait bien ces deux femmes, à gauche, toutes les deux très grandes, et avec des tenues très remarquables, américaines c'était évident. L'une d'elle parlait à voix basse, et sa grâce finissait par forcer l'attention. Satisfait, Tom attacha son regard sur son profil, étudia l'attache du menton qui lui semblait la clef décisive de l'ensemble. Fermant un peu les yeux, il se demanda si Saldon n'avait pas revu en elle l'ancien et secret amour qui avait démoli sa vie, et bientôt l'idée lui parut probable. La tristesse de cette rencontre commençait même à l'affecter. Cela lui arrivait assez souvent, et ça pouvait le saisir n'importe où, n'importe quand. Mais ce soir, il se sentait pire que d'habitude. Ce devait être tous ces calmants qui lui faisaient l'esprit trop souple, trop véloce, et il trouva qu'il dérivait avec une facilité étonnante. Sa cigarette lui chauffa les doigts. Qu'est-ce que tu fais bon dieu, à fabriquer cette histoire imbécile ? Que Saldon aille au diable avec sa vie piétinée par l'amour. Qu'est-ce que ça peut bien te faire ? Absolument rien. Ce soir est une occasion magnifique pour toi, tâche d'en profiter au lieu de laisser filer la ligne comme un égaré. Il tâta sa poche. Les photos étaient bien là. En place, calées, prêtes à toutes les folies, et Tom entendait avoir l'audace de les montrer, de les soumettre au jugement du maître.

Du regard, il dominait bien la foule et repéra Saldon en conversation passionnée avec on ne sait qui. Bien sûr Saldon allait retrouver des tas de gens. Mais lui, il était tout seul et il fallait qu'il se débrouille avec ça.

Une bibliothèque couvrait un mur entier de la grande salle et Tom se sentit provisoirement sauvé. Il pouvait tout faire du moment qu'il y avait des livres. Il pouvait les considérer, les attraper, les feuilleter, même essayer de les lire. Avec un peu de gravité et de curiosité brutale, il était probable qu'il attirerait facilement l'attention sur lui. Surtout qu'il avait la chance d'être tellement grand. Tom fit la moue et la vulgarité du procédé lui donna un peu de honte. Il tâcherait pour l'oublier d'y mettre le plus de sincérité possible. Est-ce que ce n'était pas vraiment intéressant de savoir ce que Gaylor pouvait bien lire ?

Le peintre était tout à l'opposé de lui et l'étendue liquide et hostile des invités les séparait. Tom avait noté qu'il portait sa cape courte de drap bleu sombre, une chemise de toile noire, et un bracelet d'argent à son poignet qu'on voyait briller à chacun de ses mouvements. Il avait entendu dire que Gaylor possédait cinq de ces capes, et qu'il les avait fait faire il y a très longtemps par un tailleur mexicain, et qu'il sortait rarement sans. À ses côtés il y avait sa femme. Également belle, jugea Tom, mais sans doute plus classique. Il savait à présent qu'elle s'appelait Esperanza Morecruz – ce qui était à vrai dire un nom séduisant –, qu'elle était espagnole de Barcelone et qu'elle avait rencontré Gaylor à l'occasion d'un passage en France avec son père, attaché d'ambassade. Et elle ne l'avait plus quitté. De loin, Tom, qui ne perdait rien des remous du groupe céleste, voyait qu'elle ne disait pas un mot et qu'elle avait l'air d'avoir l'âme ailleurs. À Pampelune sans doute, conclut-il, car pour lui espagnole et corrida allaient nécessairement ensemble comme archet et corde. Oui, cette femme est superbe vraiment, et c'est le moins qu'on pouvait espérer, murmura-t-il. Il tournait lentement les pages d'un ouvrage sur un cloître roman quelconque. Ça finirait par fonctionner, c'était obligatoire. Il était si grand, si remarquable, avec son livre. C'était impossible que cela ne fonctionne pas, c'était un système infaillible. À un moment ou à un autre, Gaylor se rapprocherait de la bibliothèque et il serait alerté par celui qui s'emparait avec audace du secret de ses rayonnages. Ensuite, il lui adresserait la parole, Tom sursauterait et sourirait pour s'excuser. Il paraît qu'il avait un sourire intéressant. À partir de là tout irait bien, on parlerait très vite de peinture et il montrerait ses photos. Tom palpa légèrement sa veste. Dociles, explosives, elles attendaient.

Et finalement Gaylor avança dans sa direction. Il ne fut plus bientôt qu'à quelques mètres et il pouvait entendre les modulations graves de sa voix. Précipitamment, Tom se concentra sur son livre. Tout son corps tremblait. Même ma tête qui tremble, c'est insensé. Grâce touchante du premier art roman. Trois fois Gaylor fut tout près de lui, à le frôler, il ne sut rien faire et Gaylor ne le remarqua même pas. Tom replaça le livre avec violence, et détesta l'art roman, ses tremblements, ses sueurs froides et toute cette foutue engeance. Le peintre s'était éloigné en tenant une amie par l'épaule. Tom se dit que le coup des livres, c'était de la foutaise. Vers 1 heure du matin il n'avait toujours pas bougé de son refuge, et il avait les jambes en fer. Et il se décida à quelque chose de parfaitement lâche, à un expédient de rampant, mais qui valait mieux encore qu'un échec complet. Il tira son enveloppe de photos et inscrivit dessus quelques lignes. Cela lui prit malgré tout énormément de temps pour les composer. Il ajouta en petit son nom et son adresse, et l'ensemble lui parut triste et pitoyable. Au point où il en était, qu'est-ce que cela changeait ? Rouge mais déterminé, il sortit de la grande salle et chercha discrètement l'emplacement qui pourrait le mieux convenir à son malheureux dépôt. Il y avait beaucoup trop de monde en bas. Les lavabos étaient fléchés à l'étage.

Là-haut, il faisait frais et calme. Il dépassa les lavabos et le vestiaire, et suivit un long couloir qui exhalait la térébenthine, odeur complice et réconfortante qui l'apaisa. Au bout, il y avait une porte vitrée entrebâillée. Tom la poussa doucement en se demandant ce qu'il foutait là. Il vit dans la pénombre une très grande pièce chargée de livres et de tableaux, et de très grandes fenêtres qui apportaient la lumière blanche des réverbères de la rue. Très bien se dit Tom, c'est le bureau ou bien l'atelier. Comme un voleur, il fit un pas et repoussa la porte qui rendit un léger grincement.

C'est toujours la même chose avec les portes.

4

Beaucoup plus tard dans la nuit, au cours de l'interrogatoire, deux femmes dirent qu'en sortant des lavabos, elles avaient vu un homme, jeune, brun, grand, avec une chemise rouge, qui courait comme un forcené dans le couloir. Il venait du fond. Il les avait heurtées au passage, il ne s'était pas excusé, et il leur avait jeté un regard de dément. Elles tenaient beaucoup à ce terme de dément. Il devait avoir fait quelque chose de mal. Le garçon qu'on avait engagé comme portier pour la soirée avait aussi vu cet homme sortir en chemise rouge, sans manteau, et se ruer dans l'escalier – comme si un taureau avait été après lui, avait-il précisé. Oui il était espagnol, et Mme Gaylor l'avait fait appeler pour la soirée annuelle. Il faisait toutes les soirées annuelles pour elle. Mais personne n'était capable de dire qui était cet homme en chemise rouge.

On continuait d'interroger l'un après l'autre chacun des invités. On avait fait rappeler tous ceux qui étaient déjà partis au moment où on avait découvert le corps. Mais c'était impossible de savoir qui était monté là-haut et quand. Il y avait eu tellement de monde, il n'y avait pas d'alibi qui tenait et on ne pouvait croire personne. Vers 4 heures du matin, on retrouva finalement une jeune femme qui avait parlé avec le fugitif en rouge. Soler. Il lui avait dit son nom. Elle s'en souvenait parce que son oncle s'appelait presque comme ça. Thomas Soler. Ce n'était pas plus difficile.

À l'aube, Galtier rassembla ses quatre inspecteurs dans son bureau. Maintenant, après ces heures d'interrogatoire, il avait envie de dormir, de s'affaler, mais il était l'Inspecteur principal, qu'on venait de charger de l'enquête sur le meurtre de l'avenue de l'Observatoire. Un mort, et trois cent douze coupables virtuels. Tout le long du chemin il s'était répété cela et il en était accablé. Restait ce Thomas Soler en rouge. Rouge n'est pas une très bonne couleur quand on cherche à tuer quelqu'un. Mais avec de la veine, on pouvait boucler toute l'histoire dès qu'on aurait mis la main dessus. Il jeta un regard sur les quatre inspecteurs qui s'étaient assis et fumaient en attendant qu'il se décide. Tout le monde aurait préféré dormir.

— Très bien, dit Galtier. Les éléments du premier rapport. Vuillard, lis-nous tes notes et tâche de résumer le tout à l'essentiel.

— Vers 2 heures un quart, commença Vuillard, Bernard Kaplan, un marchand d'art océanien, parle avec R.S. Gaylor, l'hôte de la soirée.

— Pourquoi dis-tu R. S ?

— C'est ainsi que tout le monde fait. Il s'appelle Richard Samuel.

— Dans ce cas...

— Ils discutent d'argent. Kaplan, qui connaît quelques difficultés financières, rappelle à Gaylor une ancienne dette à régler pour l'achat d'un masque, voici deux ans. Aussi Gaylor propose-t-il à son ami de s'en acquitter sur-le-champ.

Galtier soupira et Vuillard s'interrompit.

— Quelque chose qui ne va pas ?

— Mais non, continue. Ce n'est pas parce que je respire un peu qu'il faut que tu t'arrêtes.

— Ensemble, Kaplan et Gaylor montent au bureau. Ils y découvrent un corps effondré devant le secrétaire. Il est 2 h 25, Kaplan a pensé à regarder sa montre. L'homme est couché sur le ventre, la tête de côté, vers le mur. Gaylor met un moment à le reconnaître, ou plutôt à mettre un nom sur ce visage qu'il a déjà vu. Le mort est Robert Henry Saldon, un dessinateur avec qui il était lié en Amérique, à San Francisco. Ça faisait donc au moins vingt ans que Gaylor ne l'avait pas revu. Il est certain qu'il ne figurait pas sur la liste des invités. Mais il y a beaucoup de gens qui parviennent à se faufiler, comme ce Soler par exemple, qui, semble-t-il, est arrivé en même temps que l'Américain. Ils devaient avoir une carte plus ou moins fausse, ou plus ou moins vraie, c'est selon.

— Ne te disperse pas, je t'en supplie, dit Galtier.

— Oui. Donc, Gaylor a dit qu'il ne savait pas que Saldon était en France. Il n'en avait plus jamais entendu parler. Saldon a d'abord pris un coup de poing sous la mâchoire. Et deux coups de couteau dans le dos. Il a pu mourir entre 1 heure et demie et 2 heures. Gaylor était un peu sonné. Et comme il avait dû pas mal boire, ça n'a rien arrangé bien sûr. Kaplan dit qu'il l'a emmené aux lavabos, et c'est pourquoi c'est lui, Kaplan, qui...

— Qu'est-ce qu'il a fait aux lavabos ?

— Malade.

— Bien. Continue.

— C'est pourquoi c'est Kaplan qui nous a appelés. Il ne voulait pas affoler les invités, il a téléphoné du poste qui est dans le bureau.

— Ensuite ?

— Ensuite, le couteau. Il est couvert de dizaines d'empreintes. C'était un des couteaux du buffet. Il y a encore de la graisse sur la lame. C'est assez malin. Car pour les empreintes, il ne faut évidemment pas compter dessus.

— Naturellement. Comme d'habitude. Saldon ? On sait quelque chose, à présent ?

— D'après son aspect, il n'était pas dans une bonne passe. Le poignet droit de sa chemise est effrangé. Le bord des manches de la veste est retouché au feutre.

— C'est triste, dit Galtier.

— Dans les poches de son pantalon, il y avait 12 000 francs en liquide, grosses coupures. Gaylor a dit qu'elles provenaient de son secrétaire, où il garde toujours une petite réserve. C'est le mot qu'il a dit, petite.

— C'est probable, en effet. Quelqu'un a-t-il du feu ? Ne t'interromps pas, Vuillard.

— Surtout, Saldon portait sur ses épaules une des capes bleues du peintre. Beaucoup de témoins ont dit qu'il y en avait une suspendue au porte-manteau du couloir, et c'est celle qu'avait prise Saldon.

— Sais-tu pourquoi il avait cette cape ?

— Pas du tout.

— Je vais te dire. À moi aussi je l'avoue, ça m'a semblé très curieux, mais cela n'avait l'air de surprendre aucun des invités. On m'a vite affranchi. Il paraît que les cinq capes que s'est fait faire Gaylor au Mexique valent des fortunes. Sa valeur s'étend à tout ce qu'il touche. Ses capes sont divinisées. Bien sûr, il a paru que j'étais le dernier des paysans à ne pas le savoir. Tout le monde sait cela. On dit que la sixième a déjà été volée dans les années 1970, et dirigée vers Amsterdam où elle se serait monnayée à très haut prix. Il faudra que tu vérifies cette histoire. C'est tout ce que tu sais ?

— C'est tout.

— On ne peut faire mieux pour ce soir de ce côté. Le pauvre Saldon a sans doute voulu emporter un souvenir un peu consistant en Amérique. Le luxe de cette soirée a dû lui monter à la tête. Reste Thomas Soler... Monier, tu rassembles tout ce qu'on peut apprendre sur Saldon à San Francisco. Prends contact là-bas avec Herbert Warring. Tâche de comprendre ce qu'il était venu faire à Paris. (Galtier se tourna vers Vuillard. Il était son inspecteur préféré :)

— Toi, tu retournes avenue de l'Observatoire. Il faut que tu me dises d'où Saldon tenait cette invitation. J'ai cru voir Mme Gaylor hésiter, à peine, quand on lui a posé la question. Recommence. Ennuie-la un peu.

— Vous pensez que...

— Je suis hors d'état d'avoir la moindre pensée. Pour l'instant, je parle, c'est tout. Et puis tu refais le tour de tous les invités, enfin des trois cent douze qu'on a pu retrouver, et tu fais deux photos de chacun.

— Des trois cent douze ?

— Oui, pourquoi ?

— Non, rien.

Galtier déplia la note qu'on venait de poser sur sa table.

— J'ai changé d'avis. Tu te fais remplacer par Tarquet et tu viens avec moi. On va chercher Soler.

Galtier eut un rire bref. Un peintre ! Une affaire d'artiste. Ça va nous changer un peu.

— On y va maintenant ?

— À la seconde même.

— Je ne peux pas. J'ai trop sommeil. S'il me brutalise, je tombe.

— Je le sais bien que tu as trop sommeil. Il faudra simplement s'arranger pour qu'il ne te brutalise pas.

5

Quand Tom entendit sonner chez lui, il sut qu'il était bon, et il eut une grosse envie de pleurer, celle précisément qu'il retenait depuis plusieurs heures déjà. Mais qu'est-ce qui lui avait donc pris, nom de dieu, de courir comme ça ? Il serra ses joues dans ses doigts. Comment est-ce qu'on allait le croire ? Pourquoi est-ce qu'il avait couru comme ça ?

Le temps qu'il arrive à la porte, les yeux lui brûlaient. Il tira le verrou en gardant une main sur une joue pour se protéger.

Ce n'était pas comme ça que Galtier s'était figuré l'assassin. Si peu comme ça qu'il eut un moment d'hésitation et modifia la phrase qu'il avait en tête comme entrée en matière. Personne n'avait encore rien dit et le type était déjà en larmes. Ça commençait mal. Galtier tira sur sa lèvre avec ses dents et sentit que les choses allaient se compliquer.

— Thomas Soler, artiste peintre. C'est vous ?

Tom abaissa la tête. Il pensait que s'il essayait de parler, sa voix comprimée allait sortir trop aiguë et qu'il serait ridicule.

— Inspecteur principal Galtier, chargé de l'enquête sur le meurtre du 25, avenue de l'Observatoire. Le mieux serait que vous preniez quelques affaires et que vous nous suiviez.

Tom fit un geste vers le téléphone.

— Non, dit Galtier. Vous appellerez du commissariat.

— Ce n'est pas moi, dit Tom.

— Tout à l'heure. Prenez vos affaires. Artiste.

Tom poussa un long soupir et se moucha. En enfilant ses chaussures, il regarda cet inspecteur qui devait penser que son compte était bon, qu'il était cuit. Il pleurait encore un peu trop pour le voir de manière nette, mais tout de même, il ne l'aurait pas pris pour un flic. Après tout, qu'est-ce qu'il savait des flics ? Ils n'étaient peut-être pas nécessairement tous lourds avec des yeux durs. Celui-là était grand, mince, interminable, et d'une grâce déconcertante. Tom lui donna la cinquantaine et lui trouva une figure longue, fine, les lèvres très dessinées et colorées, les yeux sombres, tombant en triangle. Il s'essuya les cils pour mieux voir. Le nez grand, le maxillaire tendu, les cheveux bruns jetés en arrière, un air de sévérité distante de résolution contractée, qu'un charme involontaire semblait s'amuser à compromettre. Où est-ce que Sald aurait bien pu le classer ? Tom traîna pour boutonner sa chemise, et l'inspecteur, appuyé sur le chambranle de la porte, ne bougeait pas. Il est tranquille bien sûr, pensa Tom. Il se dit que je ne fais pas le poids. Mais, il se trompe. On peut parfaitement pleurer et faire le poids tout de même. Ce qui le contrariait, c'était cette moustache qui masquait la lèvre supérieure. Il n'était pas sûr qu'elle fût nécessaire à ce visage-là.

— Attendez je me mouche, dit-il.

— Je vois, dit Galtier.

C'étaient les premières paroles que Tom pouvait prononcer correctement. Il doit me tenir pour un zéro, pensa-t-il, et l'idée le fit sourire. Après tout, que Galtier porte ou non une moustache, et que cela lui convienne ou non, n'était pas son affaire. Ce qu'il fallait surtout, c'est qu'il se tire de cette merde le mieux possible.

Tom mit ses lunettes noires pour suivre les policiers, parce qu'il n'avait aucune envie qu'on remarque dans la rue qu'il avait pleuré.

Et l'interrogatoire commença. Au bout de trois heures, Tom n'était plus décidé à faire des efforts.

— Ce n'est pas bientôt fini ? demanda-t-il brutalement.

Galtier était d'un calme et d'une suavité froide qui l'exaspéraient. Il y avait en lui une association de douceur et d'ironie distante qui était horriblement déroutante. Seul le timbre de sa voix le retenait un peu. C'était une voix vraiment curieuse, et Tom pensait n'en avoir jamais entendu une semblable. Assez haut placée et cassée, enrouée même, elle aurait semblé fragile, presque délicate, s'il n'y avait pas eu cette sécheresse et cette régularité dans l'élocution. Au début, Tom en avait été à la fois bercé et intimidé, mais à présent il avait envie de tout foutre en l'air dans la pièce, et de foutre en l'air l'impassibilité séduisante de Galtier pour voir ce qu'il y avait derrière.

— Je vous ai déjà tout raconté ! hurla-t-il. Et je ne vais pas recommencer jusqu'à la nuit !

— Mais bien sûr tu vas recommencer.

— Je le connais ce stratagème, je ne connais que lui. On va me faire répéter et répéter jusqu'à ce que je me trompe, jusqu'à ce que je me « coupe », et après, au bloc. Je ne dirai plus rien, vous m'épuisez.

De toute manière, il valait mieux recommencer tout de suite, parce que Galtier ne céderait pas. Il avait l'air à bout de forces, mais il attendrait. Tom en était sûr. C'était le genre de type à attendre des heures. Le genre de type infernal.

— Merde, dit Tom.

— Ne commence pas comme ça, cela ne te mènera à rien. Tu me racontes toute ton histoire encore une fois, et tu tâches de ne pas pleurer, c'est très agaçant. Et puis ça nous retarde.

— Vous tutoyez toujours les assassins ?

— Non. Ne cherche pas. Recommence cette histoire.

— Il y a des gens qui me vouvoient dans les pires conditions.

— C'est possible.

— Quel est mon âge ?

— Vingt-sept ans.

— C'est ça. De toute façon, je n'aime pas qu'on me vouvoie. Il y a vingt-trois jours, j'ai croisé Gaylor dans la rue. Non. Qu'est-ce que j'ai dit ? Je ne l'ai pas croisé, je ne marchais pas ; je l'ai vu. C'est cela, je l'ai vu. Je me suis mis en tête de lui montrer mes toiles. Vous pouvez demander cela à Jeremy Mareval, il est au courant. Docteur ès Physiques. À force de poser des questions partout, j'ai trouvé Saldon, qui avait bien connu Gaylor et qui allait le revoir. Il avait une invitation pour deux, je me suis greffé dessus. Très simple, n'est-ce pas ? Eh bien c'est comme ça. C'est simple.

— Qui lui avait donné ce carton m'as-tu dit ?

— Mme Esperanza Morecruz Gaylor.

— Tu en es certain ?

— C'est ce qu'il m'a dit.

— Que penses-tu de cette femme ?

— Je la trouve magnifique.

— Et puis ?

— Silencieuse. Je la trouve surtout magnifique.

— Continue sur Saldon.

— Il n'y a rien d'autre. On est sortis plusieurs fois ensemble. Il m'a raconté sa vie. Il boit du gin. Allez lui demander vous-même, vous verrez bien.

— C'est très drôle.

— Non je vous assure. Saldon est un type gentil. Il vous dira exactement ce que je vous ai dit. Il ne demande qu'à parler. Un peu mou sans doute, mais très gentil. Je m'y suis très bien fait à Saldon.

Galtier fit le tour de son bureau.

— Saldon est mort, Soler.

— Non. Et depuis quand Saldon serait-il mort ? On était ensemble hier, vous mentez, je ne vous crois pas.

— Ne te fous pas de moi. Il est mort. MORT !

C'était curieux, pensa Tom. Même en criant, Galtier ne se défaisait pas. D'ailleurs, il ne criait pas réellement. Il durcissait.

— Mais quand est-il mort, bon dieu ? hurla Tom. Qu'est-ce qui est arrivé ?

Galtier frappa du poing sur la table.

— Bon sang ! cela fait trois heures qu'on ne parle que de ça ! À quoi est-ce que tu t'amuses imbécile ? Saldon est mort cette nuit, à 1 heure et demie, assassiné, dans le bureau de Gaylor, et tu le sais mieux que tout le monde !

Galtier regarda Tom, qui, les sourcils baissés, avait agrippé ses deux mains au col de sa chemise comme si ça pouvait l'empêcher de tomber. Il avança et le frappa violemment sur les joues.

— Vous n'avez pas le droit de me frapper, gronda Tom.

— Cela m'est égal. Tu avais les yeux vides.

— Vous êtes pire que n'importe quelle caricature de flic de série B de dernière catégorie de merde.

— Très bien. Tant mieux. C'est ainsi que je m'aime.

— Je peux frapper plus fort que vous. Je peux vous le rendre.

— Je ne t'ai pas fait mal. Je t'ai sauvé de l'abrutissement. Un cas subtil mais plaidable d'assistance à personne en danger.

— Dans ce cas il n'y a plus rien à dire. Restons-en là. Et ne continuez pas à m'emmerder.

— Sinon ?

— Sinon je me renverse sur la chaise, je retourne mes yeux et vous ne tirerez plus jamais rien de moi. Je fais cela à merveille.

— Allez, la suite.

— Je ne sais plus où j'en suis. Le corps que j'ai vu par terre quand je suis entré dans le bureau, avec un couteau planté dans le dos, c'était celui de Gaylor. Certainement pas Saldon. Gaylor est mort.

— C'était celui de Saldon. La cape ne fait pas le peintre, Soler. C'était Saldon avec la cape de Gaylor sur lui. Tant pis pour toi si tu t'es trompé de victime. Un meurtre est un meurtre, de toute manière.

— C'est très vrai, dit Tom en souriant.

— Et si c'est Gaylor que tu voulais tuer, je te préviens qu'en ce moment, il doit fumer assis dans un fauteuil. Si bien que tout est à refaire.

— Ainsi ce n'était pas Gaylor ?

— Voilà. Allez, on continue.

— Où est ce qu'on en était ?

— Tu avais eu l'invitation.

— C'est cela. On s'est retrouvés avec Sald à 9 heures. Quand on est arrivés à la soirée, il avait l'air de connaître des gens. J'ai filé dans un angle, près des livres, et j'ai attendu qu'une occasion passe. Trois fois Gaylor est venu tout près et il ne m'a même pas remarqué, et je n'ai pas fait un geste pour l'approcher. Vous imaginez ?

— Pourquoi n'as-tu rien dit ?

— Je ne sais pas. Je tremblais.

— Pourquoi ?

— Ça ne vous est jamais arrivé sans doute ?

Galtier frappa sur le bureau une nouvelle fois.

— Ne t'occupe pas de moi, bon dieu !

— Bon. Vers 1 heure du matin, j'ai décidé que j'allais laisser mes photos dans un coin avec un mot. J'ai mis au moins une demi-heure à rédiger ce foutu mot. Ensuite j'ai été jeter un œil au premier, il y avait beaucoup trop de monde en bas. Les lavabos étaient indiqués, cela paraissait naturel de monter. Personne n'a fait attention.

— As-tu croisé quelqu'un ?

— Je vous l'ai dit, personne. J'ai dépassé le vestiaire, j'ai pris le couloir. Je voyais une porte entre-bâillée au fond. Je suis entré tout doucement sans allumer. La porte a grincé, cela ne m'a pas plu. Et puis j'ai vu Gaylor par terre, avec cette saloperie de couteau. Cela m'a fait un drôle de choc d'être avec ce cadavre. J'étais sûr qu'il était mort.

— Pourquoi ?

— C'est comme ça. Et j'ai senti aussi que je m'étais fourré dans un sale truc. Maintenant que le peintre était mort, je ne pouvais plus rien expliquer, ni mes manœuvres pour l'approcher, ni mon intrusion à la soirée, ni l'histoire de l'enveloppe. Tout paraissait louche tout d'un coup. Pourquoi Saldon avait-il cette cape ?

— Pour la vendre. Elle vaut très cher chez les collectionneurs. Tu ne savais donc pas ça ? Le dernier paysan sait ça.

— Le temps que je me décide, j'ai cru sentir le store trembler, derrière le corps. Ce devait être du vent mais je me suis affolé, je ne sais pas pourquoi. Il m'arrive d'être plus courageux. Rien n'allait ce soir-là. Enfin j'ai cru qu'on allait me tuer, et j'ai couru. C'est la seule chose que j'ai su bien faire, courir. Tellement vite que j'ai dû cogner quelqu'un dans le couloir et que j'ai raté des marches dans l'escalier. Le portier m'a crié quelque chose sur une histoire de taureaux.

— Le portier est un torero manqué. Encorné dans la cuisse au premier assaut.

— J'ai continué à courir dans la rue, et j'ai vu que personne n'était après moi. Je me suis apaisé. Personne ne savait qui j'étais, pas même Saldon qui ne m'appelait que Thomas. Personne ne pourrait me retrouver. Je n'avais rien à dire. J'ai pensé que le mieux était qu'on s'arrange sans moi.

— Tu ne te rappelais pas avoir dit ton nom à cette femme ?

— Maintenant si. Je me souviens. Est-ce que j'aurais dit mon nom si j'avais voulu tuer quelqu'un ?

— Un meurtre n'est pas toujours une chose organisée.

— Est-ce que je n'aurais pas attendu d'être plus au calme pour tuer Saldon ?

— Tu n'avais peut-être pas le choix. Ou peut-être as-tu pensé tuer Gaylor. Tu y vois bien dans le noir ?

— Absolument rien.

— Eh bien voilà. Comme tout est simple en effet.

— Inspecteur Galtier, j'étais seulement venu montrer mes tableaux ; je ne connaissais personne ; je n'ai tué personne, je n'ai pas une figure d'assassin.

— Les figures d'assassin, on en parle beaucoup et tout compte fait, ça n'existe pas. Ça va et ça vient. Ça sert à se faire peur. Signe ta déposition. Sur le double également.

— Qu'est-ce qu'on va faire de moi maintenant ?

— Garde à vue quarante-huit heures. Pour le moment c'est tout ce qu'on peut faire. Et ne me regarde pas comme ça, tu ne vas pas y laisser ta peau.

— Vous n'allez pas me mettre ces saloperies aux poignets tout de même ?

— Les menottes ? Pas si tu te tiens tranquille.

Galtier sonna.

— Quarante-huit heures, dit-il doucement à Vuillard en désignant Tom du menton.

Voilà, se dit Tom. Quand ça commence comme ça, il n'y a aucune raison que ça s'arrête. Pourquoi est-ce qu'il avait fallu qu'il coure comme un imbécile ?

Tom parti, Galtier ferma son bureau et descendit boire quelques cafés. En traversant le hall du commissariat il s'aperçut dans la glace, et Galtier n'aimait pas trop s'apercevoir. Cela lui rappela que Soler n'avait pas cessé de le dévisager, et de dévisager tout le monde, comme s'il voulait les apprendre par cœur. Il eut un mouvement d'humeur. Il préférait encore ceux qui ne le reconnaissaient toujours pas après le troisième interrogatoire. Ce pouvait être humiliant, mais au moins on avait la paix. Et heureusement, c'était le plus souvent comme ça. Au lieu que là, il avait eu la sensation d'être examiné, considéré. Mais Soler aurait beau regarder, cela ne le dérangerait pas. Galtier sourit. Il savait qu'il était beaucoup trop calé. Il avait traversé assez d'histoires en vingt ans, et il pouvait rester insensible, anesthésié, sous les hurlements, les prières, les plus beaux visages en sanglots, les attaques nerveuses. Et s'il le devait, il bouclerait Soler, qui en prendrait pour trente ans. Qu'est-ce qu'il avait dit, Vuillard, tout à l'heure dans l'escalier ? « Il a l'air assez pur, ce gars-là. À mon sens, ce n'est pas le bon ». Quel foutaise ! De temps en temps, Vuillard disait vraiment n'importe quoi. Il bouclerait Soler s'il le fallait et sans frémir, qu'il le regarde ou non à l'instant où il lui verrouillerait les poignets.

6

Deux jours plus tard, on relâcha Tom sans un mot. On lui fit signer des dizaines de papiers et on lui rendit sa veste et son portefeuille. Il pensa à réclamer ses lunettes noires. Tout ce qu'il savait, c'est qu'il n'avait pas le droit de quitter Paris, sauf motif très grave dont il aurait à avertir la police. Et que de toute manière on le tiendrait à l'œil.

Tom préféra expliquer tout de suite qu'il ne rentrerait pas chez lui ce soir, qu'il irait chez son ami Mareval, à moins qu'on n'y voie quelque inconvénient. Ainsi, on lui ficherait la paix pour ce soir.

En sortant, il croisa Mme Gaylor et il lui trouva l'air encore plus grave qu'à la soirée. Il ne l'avait observée que d'assez loin ce soir-là, et dans le couloir, il remarqua quelques défauts, mais bénins pour un tel visage. Peut-être l'absence de maquillage lui faisait-elle les lèvres plus minces et plus droites qu'il n'en avait gardé le souvenir. Tom ne voulut pas admettre un seul moment qu'on pouvait avoir quelque chose à lui reprocher, et il se dit seulement que Galtier aurait pu avoir la délicatesse de se déplacer à son appartement au lieu de la faire venir dans son sale bureau sinistre. Mais il était certain que Esperanza Gaylor ne se laisserait pas, elle, intimider par les manœuvres enveloppantes de l'inspecteur Galtier. Il sourit en pensant à ce qui attendait Galtier et qui le vengerait un peu. Il l'avait drôlement baladé, Galtier. S'il n'avait pas été aussi fatigué et choqué encore, la répartie aurait été sanglante. L'inspecteur avait profité d'un avantage provisoire, c'était tout. À sa place, Tom en aurait fait sans doute autant. Mais tout de même, est-ce qu'on avait jamais vu un homme avec cette aussi dure douceur, ou cette aussi douce dureté, c'est comme on voulait ? Si peu brutal qu'on ne se méfiait pas, et puis on se découvrait tout d'un coup serré de trop près, acculé à consentir.

Il faudrait beaucoup réfléchir pour se préparer à la prochaine entrevue.

En voyant entrer Mme Gaylor, Galtier pensa que les choses n'allaient pas être simples. Elle n'avait pas la silhouette solide de Thomas Soler, ni son regard mobile et indiscret. Au contraire, elle était mince, brune, et semblait ne rien regarder. Mais Galtier sut qu'il allait avoir malgré tout beaucoup plus de mal qu'avec Soler. Elle n'allait pas poser de questions à tort et à travers, elle n'allait pas s'énerver sans cesse, elle dirait juste ce qu'elle entendait dire en dosant sa franchise à sa convenance.

Il la pria de l'excuser de l'avoir dérangée, et elle fit comme s'il n'avait rien dit.

— Que désirez-vous, inspecteur ?

— Savoir si vous avez remis une invitation à Robert Saldon pour la soirée.

— Non. Je n'ai jamais vu cet homme.

— Avez-vous déjà été à San Francisco ?

— Jamais. Un policier est déjà venu me poser ce genre de questions et j'y ai répondu précisément.

— Je souhaite recommencer.

— Comme vous voudrez.

— On m'a rapporté qu'au cours de la soirée, vous étiez restée très silencieuse. Quelque chose vous préoccupait-il ?

— Non.

Galtier tira une cigarette. Cette femme lui semblait beaucoup trop indifférente.

— Pourquoi gardiez-vous le silence ?

— Je crois que je n'avais rien de particulier à dire à quiconque.

— N'aviez-vous pas des amis, ce soir-là ?

— Les soirées ne sont pas faites pour parler.

— Vous étiez-vous occupée de l'organisation de cette réception ?

— Ce n'est jamais moi qui le fais.

— Le portier ?

— Pardon ?

— Le portier espagnol ?

— Eh bien ?

— Vous avez pris la peine de l'engager malgré tout ?

— Par habitude. C'est un ami d'enfance de ma famille, garçon de café au *Rollon*.

— C'est vous qui l'avez fait venir en France ?

— Non.

— Pardonnez-moi ; encore une question.

— Je ne suis pas pressée.

— Est-ce que vous y voyez bien la nuit ?

— Pas mieux que n'importe qui. Je porte des lunettes pour lire. Je ne pense pas que j'aurais pu confondre mon mari avec quiconque, si c'est ce que vous cherchez. Mais bien sûr, je ne peux pas le jurer non plus.

Galtier avait connu quelques personnes dans son genre. S'il la questionnait sur ses habitudes vestimentaires, ou sur ses couleurs préférées, elle répondrait, sans s'indigner, sans exiger d'explication. Elle répondrait juste ce qu'il fallait. C'était un genre très difficile à surprendre.

— Je vous remercie, madame.

Elle salua aussitôt et sortit. Galtier suivit du regard sa démarche lente et appliquée. Thomas Soler avait dit vrai. C'était une femme magnifique. Il eut un frisson et claqua la porte avec colère.

7

Jeremy rentra assez tard. Tom et Lucie l'entendirent rire dans l'entrée.

— Sacré Tom ! Tu nous apportes une merveilleuse histoire ! Sais-tu que ta façon d'établir le contact avec Gaylor est très neuve ? Je n'y aurais jamais pensé tout seul. Fracassante entrée dans son existence.

Et il rit encore.

— Cela t'amuse, bien sûr, cria Tom.

— Parfaitement ! Cela m'amuse prodigieusement, même ! (Il embrassa Lucie et secoua Tom.) Pas toi ? Mais si voyons cela t'amuse !

— Pas du tout. Ils vont me coller des années de prison, tu le sais. Bien sûr je pourrai y rêver à mon aise, m'imaginer des tas d'histoires, mais je ne durerai pas longtemps. Les idées, c'est comme tout, on les retourne, on les use, et puis elles se trouent et c'est très triste si tu n'as pas moyen d'en changer.

— Tu ne penses pas un mot de ce que tu dis. Si tu pensais aller en prison, tu serais déjà en sanglots. Ou mort.

— J'y ai passé quarante-huit heures tout de même.

— Était-ce triste ?

— Non c'était très bien.

— Eh bien tu vois. Ils ne pouvaient faire autrement que de te garder un peu. Tu es un suspect intéressant. C'est cette fuite imbécile qui t'a perdu. Mais au fond, ils n'ont rien de solide contre toi. Ceci dit, tu t'es conduit exactement comme il n'aurait pas fallu le faire.

— J'ai compris cela tout seul.

— Passons. J'ai vu les flics hier au bureau. J'ai confirmé ta rencontre avec Gaylor, et puis ce que tu m'avais raconté de ton manège avec l'Américain qui s'est fait tuer. Ils ont vérifié. Ils se donnent beaucoup de mal pour toi. Gaylor sortait réellement de ce café quand tu dis l'avoir vu, et tu as en effet traîné les bars avec Saldon. Trois garçons t'ont reconnu sur photo ainsi que Saldon. Vous buviez du gin. Cela ne te tire pas d'affaire pour autant, c'est vrai.

— Pourquoi cela te fait-il rire ? demanda Lucie.

— Parce que je suis passionné, voilà tout. Une énigme semblable qui survient dans ma vie ! Et que le ciel me destine, n'en doutons pas. Pour que je la résolve avant tout le monde, par l'application raisonnée de quelques théories mécaniques choisies. Je triomphe chaque année de cas autrement complexes, mais cela me plaît à présent de m'exercer sur autre chose que la physique des solides. À titre expérimental, cela m'intrigue, cela m'amuse. On va voir ce que je vaux là-dessus. Peut-être rien de bon.

— Au fond tu n'as peut-être pas tort, dit Lucie.

— Mais tout de même, dit Tom, un type est mort !

— Qu'est-ce qui te prend, Tom ? Depuis quand pleures-tu la mort de l'Américain ? Tu ne le connaissais même pas et tu n'y penses même plus ! Fais ce genre de scène où tu veux, mais pas ici, je t'en prie !

— C'est vrai. Mais tu y vas fort malgré tout. C'est pénible de t'entendre te surévaluer si niaisement.

Jeremy rit encore.

— Mais oui. Bien sûr tu as raison ! Je me surévalue et j'adore ça. Sinon tu sais bien que je ne peux pas avancer. Seulement, ce qui me fait aussi croire que cette histoire est faite pour moi, c'est que l'un des enquêteurs, Lucien Tarquet... ça ne te dit rien ce nom, Lucie ?

— Rien.

— Non, c'est normal d'ailleurs. On s'est connus il y a dix ans quand je m'étais mis en tête de faire du Droit. C'est lui qui m'a repéré hier, mon nom lui rappelait des souvenirs. Je lui ai dit que j'étais tellement heureux de le revoir. Alors tu comprends, c'est plus facile. Au nom d'une authentique complicité d'étudiants, il m'a un peu mis au courant des choses. Sans trahir de secret professionnel d'ailleurs, mais cela viendra peut-être.

— Alors ? Où en sont-ils ? Pendant deux jours on ne m'a pas adressé la parole là-bas. Comme si je n'avais été qu'un morceau de chiffon.

— Dînons d'abord, Tom. On reprendra cela plus tard. Pour l'instant j'en ai assez.

Malgré tout, Tom était énervé. Il avait envie que la conversation devienne plus dure et que Jeremy cesse de se comporter en héros alors que quand même, c'était lui, Tom, qui était au milieu de l'arène. Tom savait s'y prendre et le ton monta, marche après marche.

— Pure hérésie, lâcha Jeremy – et Tom souhaita le battre.

Lucie quitta la table, lassée de ce combat grotesque dont elle n'avait même pas voulu suivre l'objet. Elle fit le tour de la pièce, souleva le couvercle du piano. Cette fugue de Bach devrait imposer silence à Jeremy. Si elle la jouait, ils se tairaient tous les deux, elle ne les entendrait plus.

Après le dernier accord, Jeremy laissa passer un moment. Il demanda doucement :

— Que penses-tu du visage de Galtier ?

— Tu as remarqué aussi ?

— Oui. Tu aurais pu plus mal tomber. Un être raffiné et inaccessible. Curieux. Tu ne vas pas avoir la partie facile.

— Qu'est-ce qu'il t'a appris, ton ancien condisciple ?

— L'enquête a progressé sur Saldon. Ils ont su qu'il était dessinateur quand il a connu Gaylor, puis représentant, et qu'il avait bien une mission d'affaires qui l'appelait en Europe. Ils ont contacté sa femme. Elle a dit que son mari n'avait été le compagnon de Gaylor que quelques années. Quand il a commencé à faire du scandale dans les bars, elle lui a interdit de continuer à le voir, et il lui a obéi. Avant de trouver sa place de représentant, on ne sait pas trop ce qu'il a fabriqué. La police l'a surveillé pendant un moment, à cause d'une escroquerie dans une fausse agence de voyages. Mais sa participation n'a jamais été prouvée. On l'a soupçonné d'avoir servi de rabatteur à pigeons. Par la suite, peut-être refroidi par cette aventure, Saldon n'a plus inquiété personne, et la police a cessé de le tenir à l'œil. Tu vois, rien de formidable en apparence. À moins bien sûr qu'il n'ait été plus malin que tout le monde et n'ait continué d'exercer des petits trafics sans se faire prendre. C'est envisageable... Et puis ça fait deux mois qu'il était en Europe. Il venait d'Allemagne, de Belgique, d'Autriche, de Hollande. Il a bien réalisé quelques affaires pour sa firme, mais il a pu aussi tremper dans autre chose.

— Il ne m'avait pas parlé de ces étapes en Europe.

— Rien ne l'obligeait à tout te raconter... Tom, est-ce que tu m'écoutes ?

— Non. Je pense à quelque chose. À quelque chose de très important que j'avais tout à fait oublié. Tu comprends, j'étais tellement persuadé qu'on avait tué Gaylor que je n'ai plus réfléchi à Saldon par la suite.

— Qu'est-ce qu'il y a eu ?

— Le soir, quand on est entrés dans la grande salle, au tout début. Il s'est arrêté d'un coup sur le seuil et il a eu l'air mal. Je l'ai touché et il était trempé et froid. Et puis très vite, il est redevenu mou comme d'habitude. Il m'a dit que tous ces gens l'impressionnaient, qu'il n'avait plus l'habitude, et il est parti tout de suite de son côté. Mais j'étais certain qu'il avait vu quelque chose qui l'avait frappé, ou quelqu'un qu'il a voulu fuir.

— Et tu as cherché j'espère ?

— J'ai cherché. J'ai examiné tout ce qu'on pouvait voir de la place où on était. Il y avait une dizaine de personnes au premier plan. Sur le côté, j'ai remarqué deux femmes qui étaient certainement américaines.

— D'après les chaussures ?

— Et d'après les robes, le maquillage, l'allure, tout. Et je me suis dit, c'est bien, c'est la femme cachée qui a ravagé son existence, l'unique femme qu'il ait jamais aimée et ainsi de suite à perte de vue. Je n'étais pas dans mon état normal, ajouta Tom en souriant.

— Je ne pense pas que l'inspecteur Galtier apprécie que tu viennes à retardement lui conter cette anecdote. Cela fait un peu trop songer au coupable qui cherche à écarter les soupçons.

Saldon a eu peur de quelqu'un. Le Quelqu'un l'a tué. C'est très gros. Et comme Saldon n'est plus là pour te contredire, tu peux vraiment en faire ce que tu veux.

— Jeremy, tu ne me crois pas ?

— Si. Je te dis seulement ce que Galtier en déduira nécessairement si c'est un inspecteur principal sérieux. Il pensera que tu te fous de lui. Il le prendra mal.

— Pourtant, je n'ai pas le choix. Je ne peux pas garder cela pour moi.

— Non, il faut que tu le dises à Galtier. Il s'énervera, mais il ne faudra pas se faire de bile. Parce que de toute façon, on trouvera le meurtrier avant lui. Bien avant qu'il puisse t'arriver quoi que ce soit de désagréable.

— Comment peux-tu être si sûr ?

Jeremy haussa les épaules.

— C'est une sensation. Un pressentiment. Appelle ça comme tu voudras.

— Je vois les choses autrement, dit Lucie.

— Comment ?

— Pourquoi se concentrer sur le meurtrier de Saldon, alors que Tom avait cru dans l'obscurité que c'était Gaylor qu'on avait tué ? Est-ce qu'un assassin qui attendait dans le bureau et verrait entrer un homme en cape, n'aurait pas pu faire la même erreur ?

— C'est ce que tu penses ? demanda Jeremy.

— Pourquoi pas ? dit Lucie.

— Et toi Tom ?

— Cela me paraît le plus intelligent. Saldon ne m'inspire pas. Je ne vois pas ce qu'il aurait pu faire qui puisse mériter la mort, à part des petits coups par-ci par-là. Pauvre Saldon. Mais Gaylor, c'est une autre figure, un personnage d'envergure mondiale. Il a dû mener une drôle de vie à Frisco. Peut-être même à Paris aussi, quoiqu'on n'en ait jamais rien su.

— Certes, dit Jeremy. C'est vrai, cette histoire de cape complique tout. Que comptes-tu faire demain, Tom ?

— Galtier a pris mon existence en charge. Je suis convoqué à 8 heures au commissariat. Ma vie est provisoirement en dépôt là-bas.

— Arrange-toi si tu le peux pour me rejoindre à l'heure du déjeuner. Au même café, face à la gare. On verra comment Galtier dispose ses pièces, son front, ses ailes, et on avisera. Pourras-tu venir, Lucie ?

— C'est impossible. Mais j'irai voir Louis. Il doit savoir des choses sur la vie de Gaylor en Amérique.

— Alors ainsi c'était Louis, le garçon de Frisco dont tu m'as parlé ? Celui qui l'accompagnait la nuit ?

— Oui, dit Jeremy. Quand Louis s'est lancé dans la photo, il a voulu dévorer le monde. Il est parti là-bas pendant quelques mois en emmenant Jeanne. Et sur sa route, il a croisé Gaylor. Ça lui a tourné la tête. Tu sais, toujours la vieille histoire des ailes d'Icare.

— Ah, fit Tom. Pourquoi ne me l'avais-tu jamais dit ?

— On ne peut pas tout répéter.

— Bien sûr.

Tom se leva et chercha sa veste.

— Tu peux dormir ici si tu le souhaites.

— Non, je vais bien maintenant. Tout à fait je t'assure. Je vais rentrer chez moi.

Il les embrassa tous les deux.

Sur le chemin, Tom n'avait absolument plus peur. C'était fini. Il n'avait plus peur d'être coupable et il ne craignait plus Galtier, ni son regard sombre, ni sa voix fragile. Demain il mettrait sa chemise rouge et l'inspecteur comprendrait.

Avec de la chance il attraperait la séance de nuit au festival du film noir, et c'était exactement ce qu'il lui fallait pour le remettre tout à fait en selle.

8

Et malgré une nuit brève, il fut à l'heure au commissariat.

— On ne pleure plus ce matin ? interrogea Galtier à voix presque basse.

Il finissait la rédaction d'une note et ne leva qu'un instant les yeux vers Tom en lui faisant signe de la main de s'asseoir. Mais Tom s'était déjà assis.

— On ne pleure plus, répondit Tom en étendant ses jambes. On est même devenu un coupable de rêve, conciliant, résigné, comme tout inspecteur souhaite un jour d'en rencontrer, c'est normal.

— Ne jouez pas trop fort, Soler. Vous travaillez un nouveau rôle ?

Tom rougit.

— Parce que très franchement, il n'y a aucun motif pour être d'aussi bonne humeur, reprit Galtier. Vous êtes loin d'être tiré de là, mais si ça vous amuse après tout, c'est votre droit.

— Faut-il donc que je pleure à nouveau ? Qu'est-ce que vous voulez à la fin ? Vous n'êtes jamais satisfait. Et vous me vouvoyez à présent. Que faut-il en conclure ? Mon cas s'est-il aggravé ou amélioré ?

— Ni l'un ni l'autre. Rien ne bouge en ce qui vous concerne. Et je le regrette car j'aime le changement. Savez-vous que la piste Saldon ne débouche sur rien d'important ? Ce n'est pas bon pour vous.

— Justement, j'ai quelque chose à vous dire à ce propos, qui ne m'est revenu qu'hier soir. Je préfère vous prévenir tout de suite que vous n'y croirez certainement pas. Cependant, il n'y a pas plus pure vérité. C'est de la vérité à l'état natif.

Galtier écouta, bras croisés, le récit de Tom au sujet de l'affolement brutal de Saldon.

— Tu imagines que je vais avaler ça ?

— Pas du tout. Je vous avais prévenu d'ailleurs.

— C'est un peu grossier, tu t'en rends bien compte.

— Qu'est-ce que vous voulez que j'y fasse ? On ne peut pas sans cesse être fin.

— Ces deux femmes, décrivez-les.

Tom s'appliqua, et Galtier admira ses capacités d'observation. Sur ce point au moins, il n'avait pas menti et les deux femmes existaient. Galtier ne mit pas longtemps à les repérer sur sa liste.

— Elles sont en effet américaines toutes les deux. Mrs Walton et Mrs Henders. D'après leurs dépositions – Galtier parcourut rapidement ses notes –, elles ne savent rien de Saldon. Mais peut-être pourraient-elles se rappeler ceux qui les entouraient à ce moment précis de la soirée.

Galtier donna l'ordre qu'on les contacte toutes les deux. Il ne pouvait se permettre de négliger cette nouvelle indication, aussi truquée pouvait-elle être.

— Qu'avez-vous vu d'autre ?

— Presque rien.

— Pourquoi spécialement cette femme ?

— Je me suis figuré qu'elle devait être l'ancien amour de Saldon et qu'en la rencontrant si...

— Ça suffit, je vois. Ne te donne pas la peine d'aller plus loin. Qu'est-ce que tu as vu d'autre ?

— Vous savez, je ne me suis tout de même pas attardé outre mesure sur la question. Une ou deux minutes, pas plus. Mais j'ai l'impression que vers mon œil droit, il y avait un homme massif, plutôt roux, je n'ai pas vu exactement son visage, mais il avait des chaussures noires à lacets.

— Comment peux-tu être si précis ?

— J'ai l'habitude de regarder les chaussures. Je ne m'en rends même plus compte. J'aime bien voir de quelle façon elles se...

— Arrête. Ce n'est pas ce qui m'intéresse.

— Dommage, soupira Tom. Cela faisait déjà longtemps qu'il avait remarqué que les chaussures de Galtier étaient en discordance avec le reste de son habillement.

— Des roux massifs qui étaient arrivés dès 9 heures, il y en a au moins neuf. Il va falloir tous les contacter.

Galtier attrapa le téléphone et congédia Tom d'un geste en lui disant simplement de rester à sa disposition dans le couloir.

Deux heures plus tard, il fallut réveiller Tom qui s'était endormi pour passer le temps. Galtier le redemandait. Il l'avait bien dit, cela ne finirait jamais.

On avait reconstitué le groupe qui figurait à l'entrée de la salle vers 9 heures :

— Baguelon, antiquaire, petit, brun. (Galtier sortait les photos correspondantes les unes après les autres et les lançait à Tom :) Merlin, banquier, René Cousin, le roux à droite, import-export, il est dans la chaussure si cela peut vous faire plaisir, martela-t-il.

Tom sourit et remercia.

— Une Anglaise, Mrs Barett, sans profession, discutant avec Adams, à la tête d'une chaîne de garages, et Delmont, dans l'industrie alimentaire. Enfin, un homme tout seul, de Marentis, sculpteur en vogue. Est-ce que tous ces noms, tous ces visages, vous disent quelque chose ?

— Non, dit Tom d'un air de regret. Je vous ai dit que je ne connaissais personne. Sauf de Marentis bien sûr, par les journaux, mais je ne l'avais jamais vu.

— Très bien, dit Galtier. On vous reconvoquera.

Tom avait déjà repris le couloir quand Galtier appela :

— Soler, arrêtez-vous un instant. Il faut malgré tout que vous sachiez qu'il y a un point positif pour vous. Mais ce n'est pas grand-chose. Vous vous rappelez ce store qui avait soit-disant tremblé dans le bureau et qui vous avait fait fuir ? On a contrôlé ce point. La femme de ménage des Gaylor est formelle. On n'ouvre jamais la fenêtre. Aucune fenêtre. Gaylor déteste ça. Il y a de la poussière sur la poignée, personne ne l'a touchée. Et en outre ce soir-là, il n'y avait pas un brin de vent. Donc vous voyez, il reste trois possibilités : un, vous avez rêvé, ce qui me semble probable dans votre cas, deux, vous m'avez raconté une histoire pour me convaincre de la présence d'un assassin derrière le store, trois, il y avait vraiment un assassin que vous avez dérangé, et vous l'avez échappé de peu.

Attablé avec Tom, Jeremy avait noté sur un coin de la nappe tous les noms que Tom s'était répété depuis le commissariat pour ne pas les oublier.

— Évidemment, dit Jeremy, ce sont tous des gens qui ont pu aller à San Francisco, et tous des gens suffisamment en vue pour ne pas avoir intérêt à être reconnus par Saldon comme ancien escroc ou on ne sait quoi encore. La police va foncer là-dessus. Imagine que l'un d'eux ait participé autrefois à l'affaire de la fausse agence de voyage, et l'apparition de Saldon, l'ancien homme de main, est drôlement embêtante. Surtout que Saldon est à cran et qu'il a pu vouloir faire un peu de chantage, l'occasion était trop belle. Oui. Bien sûr c'est possible. Seulement. Seulement...

Et Jeremy resta silencieux.

— Le mieux, proposa Tom, est de laisser la police se démerder. Ils font le travail, et puis nous on récupère les résultats par ton ami Tarquet. On réfléchira ensuite, qu'en dis-tu ?

Comme Jeremy, sourcils baissés, ne répondait pas, Tom reprit :

— Et puis toute cette histoire de sursaut de Saldon peut ne mener à rien. Tu vas voir que je finirai par avoir raison et que c'était simplement une vieille histoire d'amour et que Saldon a...

— La barbe Tom avec ton histoire d'amour. Tu deviens idiot par moments.

— Et l'autre piste ? L'assassinat manqué de Gaylor ? La méprise ? Tu n'y penses plus ?

— Mais si. Cependant il y a là-dedans un tas de choses curieuses.

— Mais quoi bon dieu ? Dis-m'en une par exemple.

— Des choses. Des choses que je vois. Des choses que je sais.

— Mais que tu sais comment ? Hein ? Comment ? Tu n'y étais pas nom de dieu ! Ce n'est pas toi qui l'as tué, le type, si ? Alors, des choses que tu sais comment ?

— Cherche ! dit Jeremy.

Il rit, attrapa son cartable et partit avec un petit signe de la main. Tom resta seul à la table. Il n'avait pas fini son plat. Du doigt, il suivit le rebord de son verre jusqu'à ce qu'il grince et vibre, et il dit tout bas : des choses que tu sais comment, dis-moi, Jeremy ?

En rentrant chez lui, Tom se rasa. C'était devenu nécessaire. Il ôta sa chemise rouge et la lava. Il n'aimait plus cette chemise. Il réfléchissait à ce drôle de type qu'était Jeremy. Comment est-ce que Jeremy pouvait savoir des choses que lui, Tom, ne savait pas ? Il crispa ses mains dans la bassine à linge. Il venait d'avoir une pensée horrible. Bruyamment, il vida l'eau de la bassine, s'en aspergea sur le visage, tordit sa chemise et fit beaucoup de mouvements et de tapage. C'était atroce d'avoir des pensées aussi horribles. Ce meurtre commençait à le rendre fou, il déraillait. Il n'aurait plus le droit de penser si ce devait être comme ça. Cela le faisait dérailler et souffrir. Il fallait qu'il mette de la musique.

Une heure après, chantant « Mon cœur s'ouvre à ta voix », il descendait les cinq étages pour aller chercher son courrier. Trois jours de courrier s'étaient accumulés, il allait peut-être s'y trouver des choses miraculeuses. Tom espérait toujours des choses inouïes du courrier, alors que celui-ci trahissait pourtant jour après jour sa confiance. Il savait que beaucoup de gens étaient comme lui avec le courrier. Par la vitre, il vit une enveloppe longue qui ne ressemblait à rien de connu. L'écriture, penchée et irrégulière, lui était complètement étrangère. Songeur, il remonta mécaniquement les étages en tournant la lettre sous toutes ses faces. Il avait pris l'habitude de se donner le temps des cinq étages pour deviner l'identité de ses correspondants, ou à défaut le genre, l'espèce. Sur cette lettre, il séchait. Pas plus l'écriture que la qualité de l'enveloppe, que le cachet de la poste ou que la consistance générale de l'envoi ne l'aidaient. À la consistance, on pouvait souvent dire si c'était un prospectus ou une lettre personnelle, qui donnaient des résultats très différents. Il n'aurait pas dû se donner tout ce mal, il risquait d'être déçu. Si c'était une chaîne maléfique ou quelque chose de ce genre, non seulement il serait déçu, mais en plus une partie de sa journée serait gâchée.

Il l'ouvrit et son regard fila droit à la signature. Il sursauta. Il l'aurait reconnue entre des milliers. Droit, sans soulignage superflu, semblable à celui apposé en bas de toutes ses toiles, le fameux paraphe de R.S. Gaylor. Tom eut besoin de s'asseoir pour lire la courte page qui lui était adressée, à lui, Tom.

La police m'apprend que vous êtes l'homme à la chemise rouge qui s'est enfui de chez moi après la découverte du corps de Robert Saldon.

Vous comprendrez que votre rôle dans cette soirée pénible me paraisse très insolite et que je souhaite entendre personnellement votre version des faits. J'aimerais que vous m'exposiez vous-même les raisons de votre présence, non seulement chez moi, mais dans mon propre bureau.

Il paraît que vous êtes peintre et que vous vouliez me soumettre vos essais. Apportez-les donc.

Vous n'ignorez pas que la police vous tient pour le suspect principal. Elle est donc avertie de cette entrevue, et mieux, elle l'a sollicitée.

Je compte sur votre visite le 26 à 17 heures.

17 heures ! Tom fila à toute allure et parvint, haletant mais avec une peu d'avance, au 25 avenue de l'Observatoire. Il reprit son souffle dans l'escalier et se rafraîchit les joues avec les mains. Sa course ne lui avait même pas laissé le temps de réfléchir à cette impérieuse convocation. En fait, il aurait dû s'en douter depuis longtemps. La police devait espérer que Gaylor l'identifie, même si lui, Tom, avait juré être un inconnu pour le peintre. Mais ce qu'il pourrait jurer ou rien, c'était pareil pour la police. Tout de même cette phrase, « me soumettre vos essais ». Ses essais ! Tom serra son enveloppe de photos et se récita quelques pensées orgueilleuses qui redressèrent son allure. Il était hautain d'avance en sonnant à la porte. Gaylor avait beau être un génie, il n'était pas sûr qu'il eût su tuer un anaconda avec autant d'adresse que Tom l'avait fait l'année passée quand il avait remonté ce grand fleuve pourri.

Un valet de chambre lui ouvrit. Tom ne l'avait pas vu le soir de la réception. Il devait être d'Afrique du nord, d'Égypte peut-être, et il avait l'air assez âgé. Mais il se tenait droit, cambré, et il était presque aussi grand que Tom. Gaylor avait dû se l'offrir au cours d'un voyage comme souvenir, c'était assez dans sa manière. Et il avait dû exiger aussi qu'il ne marche que pieds nus dans l'appartement chargé de tapis. Lubie ostentatoire, pensa Tom avec mépris. Heureusement, l'homme, qui était beau, avait des pieds splendides. De l'étage, il entendit la voix grave qui appelait.

— Khamal ! Est-ce le jeune homme que j'attends ?

Tom fit oui de la tête et Khamal libéra le chemin en s'effaçant sans dire un mot.

En prenant le couloir pour la seconde fois, le souvenir de sa répugnante trouvaille de l'autre soir lui embarrassa la marche. Cette fois, la porte du fond était grande ouverte. En croisant le regard de Gaylor qui l'observait, appuyé d'une main sur la table, Tom sentit que ses défenses n'allaient pas résister de manière durable.

Ils se serrèrent la main et Gaylor lui sourit. Finalement Tom trouva naturel que cet homme profite de sa gloire et de son argent, avec tout l'excès et la parade qui lui plaisaient. Qu'il ait su tuer ou non un anaconda ne changeait rien à l'affaire.

Sur le désir du peintre, Tom dut faire le récit, assez gêné, de sa quête, de sa rencontre avec Saldon, de son intrusion à la soirée, de son indiscrétion et puis de sa découverte dans le bureau. Il ne pouvait faire autrement que de croiser et décroiser les jambes sans cesse, et en ce moment ses jambes le gênaient, il les trouvait trop longues.

Il finit par se lever et parler debout en tournant dans la pièce. Gaylor ne le quittait pas des yeux. Bras fermés, laissant fumer une cigarette au bout de ses doigts, et un pied posé contre une chaise, Gaylor écoutait sans interrompre, le regard lourd. Tom pouvait bien voir sa joue déchirée et son œil à moitié fermé, le maxillaire carré et la lèvre inférieure en avant, le nez large et busqué, la prunelle verte, les cheveux blancs et les très grandes oreilles, et il était satisfait de réussir à le voir de si près. De temps en temps, la cendre de sa cigarette tombait et Gaylor époussetait sa chemise d'un geste précis et pesant. Tom imaginait cette main puissante tenant le pinceau, cela devait être un spectacle souverain.

— C'est là toute l'histoire ? dit enfin Gaylor.

— Oui, répondit Tom. Il se sentait épuisé.

— Et le store ? C'est tout ce que vous pouvez me dire sur ce store qui tremblait ?

Tom écarta les bras et les laissa retomber sur ses cuisses. Il ne voyait pas quoi dire d'autre sur ce foutu store. Gaylor frappa avec violence du plat de la main sur la table et en levant la tête, Tom comprit ce qu'entendaient les journalistes quand ils écrivaient que son visage flambait.

— C'est inconcevable ! Vous sentez ce store bouger, vous percevez qu'un homme est là, derrière, et vous, au lieu de guetter, au lieu de tenter quelque chose, au lieu d'essayer de savoir, vous vous enfuyez comme un lâche en lui laissant la route libre ?

Tom repensa le plus fort possible à l'anaconda. Il avait horreur qu'on le traite de lâche.

— Vous rendez-vous compte de ce que vous avez gâché ? Vous en rendez-vous compte ? Vous avez tout gâché !

Tom ne put rien répondre. Il savait que Gaylor avait raison. Il n'y avait aucune excuse à sa conduite. Il aurait pu au moins se cacher dans le vestiaire et attendre de voir l'homme se glisser hors de la pièce. Et tout aurait été fini. Il retourna au fauteuil et s'y mit un peu en boule, les mains dans les cheveux. Gaylor avait vraiment l'air hors de lui. Mais qu'est-ce que Gaylor pouvait bien avoir à faire de l'assassin de Saldon ? Saldon n'était plus son ami depuis longtemps. Bien sûr le crime avait été commis chez lui, dans son propre bureau, et ce n'était pas agréable. Mais de là à s'énerver de cette manière. Et puis Tom se dit qu'il était idiot. Gaylor ne cherchait pas le meurtrier de Saldon, Gaylor cherchait son propre meurtrier, l'homme qui avait tué l'autre en le prenant pour lui. Gaylor avait tout de suite compris qu'il y avait eu erreur d'appréciation et qu'il l'avait échappé de très peu. Il avait peur tout simplement, et la seule pensée que Tom ait laissé passer de si près l'occasion de saisir l'assassin le rendait fou de fureur. À cause de lui, il y avait un meurtrier libre, vivant, actif, et qui viendrait frapper à nouveau. Gaylor avait l'air d'être certain de cela. Il savait quelque chose qu'il avait tu aux policiers. Pour lui, Tom n'était pas un suspect, mais un simple imbécile. Et pour le moment, Tom, qui comprenait seulement les conséquences dramatiques de sa fuite, en était bien d'accord.

Le silence dura des minutes entières. Les jambes contractées, les dents sur la lèvre, Tom se sentait transpirer beaucoup trop et ne pouvait pas remuer. Gaylor bougea le premier. Lentement il s'approcha et demanda d'une voix redevenue très calme.

— Ces photos ? Celles de vos toiles ? Vous les avez avec vous ? Montrez-les moi.

Gaylor les sortit une à une de l'enveloppe, les déroula et les disposa sur la table, le dos tourné à Tom. Il siffla un air avant de se retourner.

— Avez-vous déjà été montrer ça ?

— Personne n'en veut, souffla Tom.

— Bien sûr. Ce ne sont que des crétins, des incompétents, des marchands. Je crois, continua-t-il, que quand toute cette horrible histoire sera finie – et Tom eut l'impression qu'il cherchait sa respiration – oui, quand tout cela sera terminé, vous reviendrez me voir et je m'occuperai un peu de vous.

Gaylor sourit en lui tendant les photos et Tom pensa qu'il allait se jeter dans ses bras. Il se contenta de lui serrer la main très fort, et de le regarder à fond pour se souvenir le mieux possible.

Une fois dans la rue, il fallut qu'il coure. Il courut jusqu'à ce qu'il n'en puisse plus, mais cela ne le calma pas tellement. D'une cabine il appela

Lucie. Elle aussi avait des choses à lui dire. Ils se verraient dans deux heures.

On était en juin et il n'y avait tout d'un coup plus personne dans les rues. Tom s'étira et tendit les bras vers le ciel. Sur le trottoir d'en face, il eut l'impression de reconnaître l'allure de l'un des enquêteurs de Galtier et il se sentit brusquement entravé. Galtier ne le lâchait pas. L'idée l'engourdit comme une piqûre. Mécontent, il poussa la porte battante du grand café de la place et s'installa, bien en vue, à une petite table de la terrasse. Là il écrivit :

Saldon, au cours de la soirée, se rend aux lavabos. La vue de la cape au porte-manteau du couloir le trouble. Il connaît son prix. Jusqu'ici, il avait seulement l'intention d'emprunter de l'argent à R.S., mais il sent qu'il ne pourra pas affronter son ancien ami, après vingt ans de séparation, d'une façon aussi humiliante pour lui. Il aime R.S., il a peur de perdre son estime. Il préfère voler. L'affaire de l'agence de voyage, trente ans plus tôt, montre sa tendance au petit larcin. Il n'a peut-être jamais changé depuis et a dû butiner un peu partout quand une occasion facile se présentait.

Tom posa son stylo parce que cela lui semblait ridicule de prendre des notes. Il préférait continuer de tête.

— Mais si c'est vraiment Mme Gaylor qui lui a donné l'invitation, fait qu'elle a nié à la police, qu'est-ce que cela peut vouloir dire ? *Aurait-elle elle-même commandé le vol à Saldon ? Soit qu'elle*

ait eu un besoin inavouable d'argent, soit qu'elle
ait cherché à inquiéter son mari ? Parce que tout
de même, comment Saldon aurait-il pu savoir
pour cet argent dans le secrétaire ? Il n'avait rien
dérangé d'autre dans la pièce. Tom revit le visage
fermé de cette femme si belle, et remua sur sa
chaise. Il n'aimait pas l'idée qu'une femme se mêle
de quelque chose de bas, et pire, qu'elle se serve
d'un pauvre bougre d'exécutant pour le faire. Tom
repensa à Saldon, et il eut de la peine. Après tout
Sald avait peut-être menti, et n'importe quel proche du peintre aurait pu remettre cette invitation à
Saldon et l'engager pour ce vol. Il fallait juste être
un peu au courant des habitudes de Gaylor. Mais il
n'avait pas l'air de se cacher. Il avait bien emmené
directement Kaplan dans son bureau pour lui payer
cette dette. Ce n'était pas une mauvaise idée.

De toute manière, que Saldon agisse pour son
propre compte ou non, voici comment les choses
se passent : il prend la cape, dès l'aller, car le couloir est vide et il doit en profiter, et entre dans le
bureau. Il fouille le secrétaire. Saldon a mis le vête-
ment sur ses épaules pour avoir les mains libres.
Quelqu'un est là qui guette et Saldon se fait tuer. Le
meurtrier doit attendre pour sortir que le couloir
soit libre. L'oreille à la porte, il écoute les allées
et venues, il surveille le moment propice. Mes pas
se rapprochent dans le couloir, il se planque derrière le store. Les lames n'ont pas encore repris
leur immobilité complète quand j'entre dans la
pièce. S'il y avait bien quelqu'un dans la pièce, ce

qui reste à prouver. Pris de peur, je m'enfuis, et la police me suspecte gravement, ce qui est une veine pour l'assassin.

Ce qui crève les yeux, c'est qu'il n'y avait pas besoin de tuer Saldon ce soir-là. Pour se risquer à commettre un meurtre au milieu d'une soirée de trois cents personnes, il faut vraiment qu'il n'y ait aucune autre solution. Or pourquoi voudrait-on tuer Saldon ? Soit parce qu'il a reconnu un ancien associé, soit parce qu'il exécute un coup sur commande. Dans l'un ou l'autre cas, celui qui, par crainte d'être trahi, souhaite s'en débarrasser, peut attendre. Il doit attendre. Il n'a qu'à fixer rendez-vous à Saldon pour discuter argent dans un coin tranquille, et le tuer là en toute sécurité.

Donc rien n'explique le meurtre de Sald. C'est R.S. Gaylor qui devait être tué ce soir-là.

Et dans cette hypothèse, tout s'arrange. Parce que Gaylor, on ne l'approche pas facilement. Cette soirée est sans doute une occasion rare pour pouvoir se glisser auprès de lui et l'éliminer. Ce qui paraît exclure a priori ses intimes et oriente les soupçons vers une relation éloignée du peintre, ou même un inconnu agissant sur ordre. À moins que l'intime en question n'ait précisément joué là-dessus, ce qui deviendrait extrêmement compliqué. Tuer au milieu d'une réception quasi-publique, alors qu'on a vingt fois l'occasion de le faire chaque jour... Pas sot.

Ensuite, qu'il s'agisse d'un proche ou d'un tueur à gages, il suffit de bien préparer son coup, d'isoler Gaylor à un moment convenu de la soirée. De l'attirer dans son bureau. Un complice peut appeler de l'extérieur, et demander à parler d'urgence à Gaylor pour une affaire confidentielle. Naturellement Gaylor viendra prendre la communication dans son bureau, et non pas dans l'entrée où il y a beaucoup trop de monde. L'assassin attend sa victime, et à l'heure dite, il voit entrer un homme en cape qui s'approche du secrétaire. Comment pourrait-il imaginer qu'il s'agit d'un pauvre Américain qui n'a rien à voir dans cette histoire ? Dans l'hypothèse d'un tueur à gages, la méprise est certaine. Elle est douteuse venant d'un proche. Allons pour le tueur donc. Et le tueur fait son travail. Il tue.

Je suis génial, pensa Tom. Tout ceci est limpide, mécanique et génial. Pauvre Saldon. Il a mal choisi son moment. Et si contrairement à toutes les prévisions, Gaylor avait pris la communication en bas ? Et si Saldon, le voyant occupé au téléphone, avait jugé que c'était le moment ou jamais d'aller faire son coup tranquillement là-haut ? Ce qui expliquerait qu'il ait poussé la porte du bureau à la minute précise où le tueur attendait Gaylor. Cela s'organise impeccablement. Et Galtier qui fait le con à me faire surveiller. Tom jeta un œil. Le type était toujours là, il lisait le journal, debout au milieu de la rue. Tom secoua la tête. C'était donc vrai que les flics en civil étaient repérables comme des palmiers dans le désert. Et en plus il était en imperméable. C'était misérable et Tom eut honte pour Galtier. Mais peut-être Galtier tenait-il à ce qu'il se sache suivi, pour l'épuiser. Ç'aurait bien été dans son style.

Et d'ailleurs, ce qui prouvait qu'il était bien dans la bonne direction, c'était cette panique de Gaylor. Gaylor, lui, ne s'y était pas trompé. Il savait qu'on avait voulu le tuer et que Saldon lui avait servi sans le vouloir de bouclier. Mais il n'a rien dit à la police. Il planque quelque chose. Il espère s'en tirer tout seul. C'est peut-être une vieille affaire qui remonte à la sale passe de Frisco, dont Saldon ne parlait qu'avec répugnance. Peut-être un règlement de comptes sur lequel il ne peut pas s'expliquer sans se compromettre affreusement.

Qu'est-ce qu'il avait bien pu foutre là-bas ? Est-ce qu'il connaît au moins celui qui le cherche ? Peut-être pas. Et c'est pour cela qu'il me convoque. Pour me questionner, pour savoir si je n'aurais pas perçu un détail, insignifiant pour moi, mais essentiel pour lui. Il est déçu. Je n'ai rien perçu du tout. Il ne peut pas aller interroger les flics, ils pourraient flairer son secret, et il veut absolument éviter ça. Tandis qu'avec moi, il est tranquille. Même si je me doute de quelque chose, je n'irai pas le raconter à Galtier.

Et pourquoi ? Comment peut-il être certain de ça ? Tom fit la moue. Parce que je suis suspecté, parce que Galtier n'a pas confiance en moi, parce qu'il sait que j'attends quelque chose de lui, que j'étais là pour lui montrer mes tableaux.

— Tu as l'air terriblement concentré, dit Lucie.

Tom leva la tête.

— J'étais seulement en train d'espérer qu'il n'a pas fait semblant d'apprécier mes tableaux. Mais vraiment je ne le crois pas. Sincèrement non. Il aurait dit « la lumière est belle » ou bien « la composition ne manque pas d'audace », j'aurais su qu'il n'aimait pas. C'est toujours ce qu'on dit dans ces cas-là. Mais non, il a eu vraiment l'air d'aimer.

— Dis-moi rapidement où tu en es, dit Lucie.

Tom la regarda s'assoir. Qu'est-ce qu'elle avait aujourd'hui pour être si belle ? Il ferma les yeux un bref instant et prit une cigarette

— Écoute bien cette histoire, Lucie. D'abord, tu vois le type là-bas, près de la station, qui lit un journal ? C'est un enquêteur à Galtier. C'est pour moi. C'est pour me tenir chaud. Mais moi, pendant ce temps-là, voilà ce que j'ai trouvé.

— C'est bien pensé, dit Lucie pour finir.

— Oui, tu trouves ? Moi aussi j'en suis content.

— Esperanza est louche.

— Elle n'a probablement rien à voir là-dedans. Sinon, Sald ne m'aurait pas dit que c'était d'elle qu'il tenait son carton. Sald a menti. D'ailleurs il a légèrement hésité avant de parler. C'est la preuve qu'il cherchait un nom.

— Ou bien la preuve qu'il n'a pas résisté au plaisir de la compromettre, parce qu'il était un peu saoul, et qu'il en avait marre d'assumer tout le sale boulot tout seul. La beauté n'est pas un critère de pureté, Tom. De ce côté, ton raisonnement manque de hardiesse.

— Je n'aime pas que tu parles ainsi. C'est trop facile. Saldon a menti.

— De toute façon cela n'a pas d'importance. Puisque d'après toi, cette affaire de vol, commandé ou non, n'est qu'un élément parasite, c'est cela ?

— Oui. C'est un court-circuit en quelque sorte, qui a sauvé momentanément la vie de Gaylor et précipité Saldon.

— C'est du côté de Frisco que cela vient.

— As-tu vu Louis ?

— Justement. Il n'a rien voulu dire. J'ai été le surprendre à la Galerie Mex, il était en train d'encadrer des photos. Il était au courant par le journal du meurtre de Saldon, mais cela avait l'air de lui être tout à fait égal. Jusqu'à ce que je lui dise que c'était sans doute Gaylor qu'on avait voulu tuer. Tom, on dit toujours que les gens deviennent blancs, mais je ne l'avais jamais vu. Louis est devenu blanc, absolument blanc. Il s'est dressé d'un tel bond qu'il a fait tomber son cadre qui s'est cassé. Il n'a pas eu l'air de le remarquer. Je lui ai dit qu'il n'y avait aucune piste, aucun indice, rien, et que s'il savait quelque chose au sujet de Gaylor, il fallait qu'il le dise, parce qu'on risquait de t'emprisonner, toi, Tom. Il a crié qu'il ne savait rien, pourquoi est-ce qu'il saurait quelque chose ? Qui m'avait demandé de venir le questionner ? Je lui ai dit qu'il n'y avait aucune raison de s'affoler comme ça s'il ne savait rien. Il m'a répondu que ce n'était pas mes affaires, et qu'il avait simplement peur qu'en fouillant le passé de Gaylor, cela ne nuise à sa réputation, que n'importe qui pouvait comprendre ça. Et il m'a pratiquement jetée à la porte. Il est si calme, d'habitude.

Sa réputation ! Comme si Louis en avait quelque chose à faire ! Plus il y a de monde au courant de ses liaisons illustres et plus il est heureux. Tu te souviens de son histoire avec l'écrivain polonais ? Plus un parisien ne l'ignorait. En revanche, son escapade d'adolescent avec Gaylor, qui pourtant lui ferait une excellente publicité, il ne veut pas qu'on en parle. Ça le met hors de lui.

— Est-ce que tu penses qu'avec Gaylor ils ont pu faire quelque chose de moche ? De dangereux ? Ou qu'ils ont pu être simplement témoins d'une sale affaire et que ce soit la raison pour laquelle Gaylor ait fui l'Amérique ?

— Et qu'on les recherche pour les éliminer vingt ans après ? Alors qu'ils se sont tus jusque-là ?

Lucie haussa les épaules.

— On a déjà vu des hommes attendre vingt ans leur vengeance, dit Tom.

— Oui c'est vrai. Mais ce peut-être aussi des milliers d'autres choses. En tout cas je ne retournerai pas voir Louis. Je ne suis pas fière de moi. J'ai eu l'impression de le blesser.

— Est-ce que tu as vu Jeremy ?

— Non. Il a appelé. D'après son informateur toujours, la police ne lâche pas la piste Saldon, dit

Lucie en jetant un regard vers l'homme installé de l'autre côté de la place. Ils s'obstinent. Mais il y a du nouveau malgré tout. Sur les dix personnes qui étaient près de vous quand Saldon a sursauté, l'une était sans doute à Frisco au moment de l'affaire de la fausse agence de voyage. Elle y a même peut-être tenu un rôle de premier plan.

— Ne me dis rien. Attends. Je vais deviner. L'import-export dans la chaussure, le roux ?

— Non.

— Le banquier ?

— Non. Tu ne trouveras pas. L'amour de sa vie.

— La gracieuse Américaine ?

— Exactement. Elle est l'épouse d'un homme de la General Motors et elle vit magnifiquement en Floride. Elle a dit n'avoir jamais été à Frisco, n'avoir jamais quitté l'Est. Mais Galtier a téléphoné là-bas. D'après son collègue, il pourrait s'agir d'une des têtes de ce vieux gang. Elle était chargée de donner confiance. Une jolie femme tu comprends, cela rassure tout le monde. Quand le coup s'est éventé, elle a disparu avec le fric, et la police n'a jamais pu remettre la main dessus. Les descriptions n'étaient pas assez précises pour qu'on la retrouve. Elle changeait souvent de visage, d'allure.

— Alors finalement, c'est bien à cause d'elle que Sald a sursauté mais pas du tout pour une histoire d'amour ? dit Tom en riant.

— Qui sait ? Sald a pu l'aimer malgré tout ! Ou même la suivre par amour ! On ne saura jamais.

Tom se rappela que Saldon était mort et il cessa de rire.

— Je m'en vais, dit Lucie. Que vas-tu faire maintenant ?

— Traîner sans doute. C'est même certain.

— Et lui là-bas ?

— Il va traîner derrière moi. Je vais le promener un peu, ça le dégourdira.

— Traîne bien alors. Et fais attention à toi tout de même.

— Pourquoi dis-tu cela ?

— Ce n'est pas moi. C'est Jeremy qui a dit ça tout à l'heure. Il a dit « fais attention à toi tout de même, ce n'est pas du tout une plaisanterie, et dis-le à Tom ». Donc je te le dis. Ce n'est pas une plaisanterie.

— Mais c'est lui qui s'amusait tellement hier soir, non ?

— Aujourd'hui il était différent.

— Dis-lui ce que je t'ai raconté, n'est-ce pas ?

— Ne t'inquiète pas.

Tom partit dans les rues. Il sentait derrière lui le poids de l'homme qu'il remorquait. Maintenant, cela l'amusait. On peut faire des tas de choses distrayantes avec quelqu'un qui surveille vos mauvaises actions.

Tom s'arrêta devant un platane, piétina un peu, et en fit trois fois le tour à pas très lents. Puis du bout de la rue, il vit l'homme qui fouillait du regard la grille de l'arbre. Tom se rapprocha doucement, cigarette aux lèvres.

— Vous avez du feu ?

Tom vit qu'il avait l'air fatigué, l'air d'en avoir assez, et il regretta tout de suite d'avoir joué avec lui. C'était facile d'agacer les enquêteurs loin du regard de Galtier.

— Pardonnez-moi, dit-il. J'ai tourné autour de cet arbre pour vous énerver. C'est idiot. Je n'ai rien mis dans la grille, et je n'y ai rendez-vous avec personne. D'ailleurs je ne suis pas l'assassin.

— Je ne sais pas ce que vous me voulez, dit l'homme.

Bien sûr. Il ne pouvait pas répondre autre chose.

— C'est bien, dit Tom. Je m'en vais. C'est-à-dire, on s'en va. Et je vais même vous dire où on va. Mais attention, à l'oreille.

Tom l'attrapa par le col et chuchota : Je rentre à la maison.

Et il le laissa avec un grand sourire.

C'est en chemin que Tom réalisa vraiment que le peintre pouvait mourir d'un moment à l'autre et que personne n'avait l'air de s'en soucier autrement. Galtier s'acharnait sur lui et sur les bricoles d'amateur de Saldon, alors que quelqu'un guettait, tranquille comme tout, que la belle occasion se présente à nouveau. Mais lui pouvait peut-être faire quelque chose. Il pouvait chercher, s'embusquer, protéger, il pouvait être merveilleux, comme avec l'anaconda. Il avait fini par tout savoir sur l'anaconda, le géant de la famille des Boïnés. Celui qu'il avait tué à la hache faisait plus de six mètres. Il finirait par tout savoir aussi de cet autre meurtrier et il se lancerait à travers sa route venimeuse. Tom se passa la main sur le front. Il imaginait trop en ce moment, beaucoup trop. Ça dépassait les limites qu'il s'était permises. Il n'avait même pas remarqué le chemin qu'il venait de parcourir alors qu'il était à présent presque devant chez lui. Peut-être des milliers de gens l'avaient-ils salué qu'il n'avait même pas vus. Il fallait qu'il reprenne ses pinceaux et qu'il se remette au travail, c'était ce qu'il avait de mieux à faire pour l'instant.

Il préparait ses couleurs quand le téléphone sonna. Il souhaita que ce soit Gaylor, mais c'était Jeanne. Elle paraissait très en colère, et Tom en fut fatigué d'avance. Lucie était venue harceler Louis de questions et elle ne le tolèrerait pas. Il fallait qu'on foute la paix à Louis avec ça.

— Il me semble que tu ne l'as pourtant pas épargné l'autre soir, dit Tom durement.

— C'est vrai. Mais c'est mon frère et cela me regarde. Il n'y a que moi qui aie le droit de l'emmerder avec cette histoire. C'est convenu entre nous.

— Comment cela ?

— J'étais en Amérique avec lui quand il a connu Gaylor. J'étais petite, sans doute, mais je me souviens bien de ce qui s'est passé. Je sais de quoi il s'agit et moi seule ai le droit d'en parler. C'est admis.

— Je ne cherche pas à lui faire de mal. Mais il y a des choses qu'il faut que j'apprenne et je me débrouillerai pour y parvenir.

Il y eut un silence et puis Jeanne dit :

— Ne bouge pas Tom. Je viens chez toi tout de suite.

Jeanne avait des façons très brutales. Tom rangea un à un ses pinceaux. Il passa sur sa paupière celui en poil de martre, qui avait coûté si cher, si cher d'ailleurs qu'il avait dû le voler en fin de compte. Quand Jeanne sonna, il retournait sa toile face contre le mur.

Elle ne dit pas bonjour, elle s'allongea sur le lit et croisa les mains sous sa nuque.

— Je te dis ce que je sais et tu me jures de le laisser tranquille. On est d'accord ?

— On est d'accord.

— Qu'est-ce qui t'intéresse ?

— Louis et Gaylor. Qu'est-ce qu'ils ont fabriqué là-bas ? Qu'est-ce qu'ils ont bien pu fabriquer pour qu'on manque de liquider Gaylor plus de vingt ans plus tard ?

— Qu'est-ce qui te fait croire que c'est en Amérique qu'il s'est passé quelque chose ?

— C'est une idée que j'ai.

— C'est à dire que tu n'en as pas d'autre ?

— Mets les choses comme ça si tu veux.

— Je n'aime pas ça. Tu crois que Louis pourrait risquer quelque chose ?

— Non. Pas forcément. Gaylor a très bien pu faire un coup tout seul. Mais Louis a l'air de se douter de quelque chose. Dis-moi ce que c'est.

— Mais je n'en sais rien au juste. À la fin de notre séjour, il est resté une semaine absent. J'étais morte d'angoisse. Louis ne disparaissait jamais sans me prévenir. Au bout de quelques jours, j'ai eu un appel de Gaylor. Il fallait que je ne m'inquiète pas, et que j'attende sans alerter personne surtout. Et finalement un matin, très tôt, Louis est arrivé. Il a dit : « fais ta valise, on se tire ». Et c'est tout. Il n'a rien ajouté d'autre et je ne lui ai pas posé de questions. Il avait l'air faible et terrorisé, et il avait des pansements. Il a mis très longtemps à retrouver le sourire. Si tu savais le temps qu'il a mis. C'est pour ça que je ne veux pas qu'on l'emmerde.

— Tu n'as rien pu savoir ?

— Tout ce que je peux te dire, c'est le nom des boîtes où ils allaient le soir. Ça je le sais.

Tom prit un papier.

— Il y avait d'abord le *Western Club*, non, le *Western Hall*. Je ne pourrais pas te dire où cela se trouve, mais ils y allaient très souvent. Et puis le *Company*, Louis disait le *Comp'*. Et puis le *Greenline*. Il y en avait encore un autre qui s'appelait le *Country*. Je ne les accompagnais jamais. Moi, je donnais des cours de français et je recevais des leçons d'anglais en échange, c'était Louis qui avait arrangé ça pour moi, et il n'y avait pas à discuter.

— Pourquoi Louis t'avait-il emmenée ?

— Ça ne t'avancerait à rien de le savoir. Disons qu'il fallait me changer d'air. Et puis il y avait encore le *Peacock*. Je n'ai jamais vu aucun de ces bars. Je m'ennuyais tellement avec mes leçons que j'ai voulu absolument les accompagner un soir. Louis est devenu furieux. Ce n'était pas des endroits pour moi, comment est-ce que je pouvais y songer ? De toute façon, on n'acceptait pas les filles, sauf au *Greenline*, donc cela réglait la discussion.

— Comment sais-tu tous ces noms, alors ?

—Tu crois que je te raconte n'importe quoi ? Simplement Louis me disait, « Ce soir petite, je sors. Si tu t'inquiètes, si tu as besoin de moi, je suis au *Compagny* avec Gaylor, tu peux m'y appeler. » S'il lui arrivait de changer de bar pendant la nuit, il me téléphonait pour me prévenir. Parfois, Louis rentrait saoul comme dix hommes à la fois, ou bien complètement abruti. Je me levais et je l'aidais à se coucher. Il me faisait peur. J'ai été soulagée qu'on s'en aille. Est-ce que cela peut t'aider ?

— Sûrement, dit Tom.

— Pourquoi est-ce que tu te mêles de ça ? Pourquoi ne laisses-tu pas les flics se débrouiller ?

— Je ne suis pas d'accord avec eux.

—Ah.

— Et puis on me suspecte.

— Je sais. Tout ce qui m'importe – et Jeanne se mit debout –, c'est que tu fiches la paix à Louis maintenant.

— J'ai compris. Tu me l'as déjà dit.

— Si j'arrive à en savoir plus, je te le dirai. Mais moi seule le questionnerai, c'est entendu, n'est-ce pas Tom ?

— C'est promis.

— J'ai ta parole.

Jeanne envoya un baiser du bout des doigts et partit sans dire au revoir. Tom regarda la porte quelques minutes. Si seulement Jeanne ne se faisait pas tant de souci pour son frère. Louis était un très bon photographe et il était en train de bien réussir. Il n'y avait pas de quoi se faire du souci. Il fallait juste espérer que Gaylor ait fait un coup tout seul et que Louis ne ne soit pas mêlé à une sale histoire. Tom n'avait pas voulu inquiéter Jeanne.

9

Tom eut l'impression qu'on sonnait sans arrêt à sa porte. Il se réveilla tout à fait et c'était l'aube. 5 heures. 5 heures du matin ! Les flics, sûrement. Pris de rage, Tom donna un coup de pied violent dans la porte avant de l'ouvrir. Et dans le couloir, il vit Jeremy, frais, propre, rasé, et souriant. Il avait une valise.

— Il est 5 heures du matin ! hurla Tom. Qu'est-ce que tu fous à me réveiller à cette heure-là ? (Sans attendre de réponse, Tom regagna aussitôt son lit et rabattit les couvertures sur sa tête.) Et éteins cette lumière, bon dieu, ou je te tue ! Va-t'en, je ne veux pas te voir maintenant !

— Tom il n'y avait pas d'autre moyen. Je file à l'aéroport, je prends ta voiture.

— Les clefs sont dans ma veste ! cria Tom.

— Non. Tu n'as rien compris, c'est toi qui conduis. Tu as juste le temps de mettre un pantalon et de m'accompagner.

— Tu es fou. Prends un taxi.

— Non. Je voulais te voir d'abord. Viens, tu te recoucheras plus tard. Tu verras, une fois debout, tu n'y penseras plus.

— Si j'y penserai ! Fous le camp ! Tu m'exaspères quand tu es comme ça !

— Viens bon dieu ! Où est ta voiture ?

— Sur le boulevard, devant la station.

— Je vais la prendre. Tiens-toi prêt. Dans cinq minutes, je te ramasse en bas. Tu prendras le volant, cela te réveillera tout à fait. Tu as entendu ? Dans cinq minutes !

— Ça va ! hurla Tom.

Jeremy partit en courant et Tom entendit qu'il riait. C'est facile de rire quand on s'endort après le dîner. Mais Tom n'était couché que depuis – il fit le calcul – depuis deux heures et demie. Il soupira et se mit debout.

— Pourquoi n'apprends-tu pas à conduire ?

— Je ne sais pas pourquoi, dit Jeremy.

— Cesse de prendre cet air nonchalant, c'est énervant. Où va-t-on ? Tu peux me le dire maintenant ?

— On va à l'aéroport. Prends par là.

— Mais tu pars loin ?

— Je pars pour l'Amérique, tout simplement. Californie. Cela t'intéresse ?

— Bien sûr cela m'intéresse.

— Tu te souviens de ce cycle de conférences que je devais faire au mois d'août ? Eh bien il est avancé. Plutôt non, je l'ai fait avancer. Car comprends-tu, un terme de l'affaire Gaylor est là-bas. Il faut aller le chercher. Et je vais le chercher.

— Très bien. Je t'absous. C'est une idée merveilleuse. Tu vas te renseigner sur le *Greenline*, le *Western Hall*, le *Company*, le *Peacock* ?

— Qu'est-ce que tu dis ?

— Ce sont les noms des bars où Gaylor a fait tant de tapage avant de filer en Europe. Tu es étonné, non ? Si, bien sûr tu es étonné. Je te mâche la tâche. Le germe est dans l'un de ces bars, j'en mettrai mes deux mains à couper.

— C'est précieux les mains.

— Ça veut dire ?

— Que tu t'emballes un peu trop vite et n'importe comment.

— Ne me dis pas Jeremy que tu vas négliger une piste pareille ?

— Une piste en or en effet. Avec tout ce qu'il faut pour te faire courir. Tu prends un vieux peintre célèbre, tu le balades dans les rues de Frisco, capitale du crime, tu ajoutes quelques bars pourris, pas mal de dépravation dans l'alcool, pas mal d'homosexualité, pas mal de tapage nocturne, tu couvres, tu laisses bouillir, tu lies avec un scandale quelconque à la cocaïne, ou ce que tu as sous la main d'un peu relevé, peu importe, tu mouilles un gros industriel très respecté, tu fais flamber. Et tu obtiens un gros succès auprès des convives béats.

— Et, bien entendu, le convive béat, c'est moi ?

— Bien entendu. Nappes et serviettes en satin noir gansé, très important.

— Arrête !

— J'ai fini.

— Et bien entendu tu vois les choses autrement ?

— Bien entendu. Cela t'intéresse de savoir comment ?

— Non cela ne m'intéresse pas ! cria Tom.

— Tiens ta voiture.

— Tu es un type odieux. Tu es fier, tu es snob. Mais ces histoires-là Jeremy, ces histoires de mœurs, cousues de gros fils, ces lamentables clichés, cela existe, figure-toi, oui parfaitement, cela existe, et nous sommes en plein dedans, que cela te plaise ou non !

— Ai-je dit que cela n'existait pas ?

Jusqu'à l'aéroport, et il y avait encore du chemin à faire, il n'y eut plus un mot. Tom bouillait. Jeremy, les mâchoires contractées, se reprochait déjà d'avoir provoqué Tom pour le plaisir de faire des phrases. Il aurait voulu rompre le silence mais il ne pouvait pas se décider à abdiquer. Un bref salut, Jeremy attrapa sa valise, et Tom quitta l'aéroport. Jeremy entendit qu'il embrayait sec, le plus sec qu'il pouvait, et il haussa les épaules.

Ce n'est même pas la peine que j'essaie de me recoucher maintenant, se dit Tom qui roulait aussi vite qu'il le pouvait. C'est foutu bien sûr. Mais où s'imagine-t-il ce fou ? C'est bien lui qui lit les journaux, non ? Tous les jours. Tous les jours on ne voit que ça. Des montagnes d'industriels compromis dans de sales trafics. Toujours les mêmes sales trafics. Sans variantes, sans nouveautés, sans imagination, sans rien. Seulement, Jeremy Mareval, non content d'emmerder incessamment la matière en lui déchirant des molécules qui ne lui ont rien demandé, se mêle d'une enquête policière. Jeremy Mareval s'offre un dérivatif champêtre sur la matière humaine. C'est sinistre. Mais seulement, il ne lui faut pas n'importe quelle affaire de fond de port. Non. Il faut que ça brille, il faut que ça sorte du vulgaire. Un esprit de sa trempe ne s'attarde pas sur de la boue. Mais il va l'avoir sa boue, il va l'avoir. Que croit-il ? Que veut-il ? Qu'on lui taille un scandale sur mesure ? Et moi que j'aille en tôle, il s'en fout bien sûr ! Que je prenne trente ans, que mon cerveau s'élime et disparaisse en geôle, que tout le monde, enfin quelques-uns, en crèvent de chagrin, il s'en fout. C'est impossible d'être ainsi, c'est impossible. Et en plus il va en Amérique, et il n'ira pas même enquêter sur ces bars. Nom de dieu ! Si les flics ne m'emprisonnaient pas dans Paris, je lui montrerais exactement ce qu'il faut faire.

Tom n'aurait jamais cru qu'on pouvait perdre un ami aussi facilement que ça, et maintenant c'était fait. Ce qui le contrariait le plus, c'était qu'il ne voyait pas du tout comment s'y prendre pour savoir ce qui avait bien pu se tramer à Frisco. Est-ce que les journaux pouvaient en avoir parlé ?

Non, et c'était bien là qu'était tout l'ennui. Tout avait dû rester confidentiel, et la police américaine n'avait certainement jamais rien soupçonné. Un drame à huis-clos, les protagonistes qui se séparent dans la nuit, et puis vingt ans après, l'explosion. Et pourquoi ? Et qu'est-ce que lui, de toute façon, pouvait bien y faire ? Tom songea à l'Atlas, qui noue ses muscles sous le poids du monde, et cela le rasséréna un peu. À partir de ce moment, il se calma lentement et Jeremy ne devint plus qu'un point dérisoire dans ses pensées. Au milieu de l'après-midi, il se sentait à nouveau capable de travailler.

Il retournait sa toile quand on sonna. Tout le monde faisait tout pour l'empêcher de travailler. Jeanne entra, Tom vit qu'elle avait l'air menaçant et prit sa planche pour y mélanger ses couleurs.

— Tu n'es qu'une sale petite ordure, Tom.

— C'est possible, dit Tom qui revissait consciencieusement un tube de bleu.

— Tu m'avais donné ta parole ! Ta parole !

— Tu t'étrangles, Jeanne. Que se passe-t-il ?

— Tu ne devais plus jamais emmerder Louis, tu ne devais plus. Et le lendemain, la première chose que tu trouves à faire, c'est de lui donner rendez-vous pour le soir même ! Si tu ne le décommandes pas Tom, je te jure que je ferai tout pour te nuire. J'irai raconter sur ton compte des choses infâmes qui saccageront ta sale carrière de croûtard avant même qu'elle ne commence.

— Je n'ai jamais donné rendez-vous à Louis. Laisse-moi tranquille maintenant.

— Tu mens. Je souhaite que tu ailles crever en tôle avec les rats.

— Cela suffit Jeanne. J'ai déjà eu assez de chagrin pour aujourd'hui. Je n'en veux pas plus, tu m'entends ? (Tom la prit par les épaules et la secoua :) Je n'ai pas donné la moindre espèce de rendez-vous à Louis ! Tu comprends ? Pas la moindre ! Est-ce que ma parole n'a donc aucune valeur pour toi ?

— C'est Louis qui me l'a dit !

— Louis a menti.

— Non ! Il m'a laissé un mot.

Tom sentit son corps s'engourdir. Il arracha le papier des mains de Jeanne et lut : *Ne m'attends pas pour dîner. Je sors avec Tom pour quelque chose d'urgent. Je rentrerai sûrement tard. Tendresses. Louis.*

— Qu'est-ce que tu as, Tom ? Qu'est-ce que tu as ?

— Idiote ! Mais tu n'as rien compris ! Rien compris !

Jeanne eut du mal à rattraper Tom dans l'escalier. Il la poussa dans sa voiture. Il y avait des embouteillages. Tom abandonna sa voiture au milieu d'un boulevard et finit le chemin en courant, en tirant Jeanne qu'il serrait au bras. Il fonça dans le commissariat mais on l'arrêta dans le hall.

— Foutez-moi la paix ! cria Tom. Je veux voir Galtier !

— Impossible. L'inspecteur est occupé. Vous l'attendrez et vous avez intérêt à vous calmer.

— Dégagez de mon chemin ! hurla Tom. Je viens de tuer quelqu'un d'autre, je veux voir Galtier ! Vous avez entendu ça ? Je vous dis que je viens de tuer quelqu'un avec un marteau ! J'ai fait une boucherie !

— Dans ce cas, c'est différent.

Tom fut poussé, menottes aux mains, dans le bureau de Galtier.

— C'est vous qui faites ce scandale, Soler ?

— Il vient de tuer quelqu'un avec un marteau, chef.

— De la blague ! cria Tom. Je n'ai tué personne, et vous ne me sortirez pas de ce bureau maintenant que j'y suis !

— Laissez-nous, commanda Galtier, et enlevez-lui ces menottes. Qui est cette jeune femme ?

— C'est sa sœur, inspecteur, dit Tom. On a donné un faux rendez-vous à Louis, c'est pour ce soir, on va le tuer, et Gaylor aussi, on va les tuer, on va les tuer !

— Ne recommence pas à pleurer, nom de dieu !

— Je vous jure que je dis la vérité. Je vous en supplie, pour une fois, écoutez-moi. Ce n'est pas moi qui ai donné rendez-vous à Louis ! Il faut que vous fassiez quelque chose !

— Soler, écoute-moi. Écoute-moi je vais parler très doucement. Je ne sais pas qui est Louis. Je ne comprends pas ton histoire. Calme-toi et reprends ça point par point, mot à mot.

Tom se sentit à nouveau apaisé par la voix trouble de Galtier. Galtier pourrait faire quelque chose. C'est vrai qu'il ne savait rien de Louis, ni de San Francisco et de toute cette histoire de bars. Tom expliqua tout du mieux qu'il le put. À la fin il claquait des dents.

— Est-ce que vous me comprenez à présent ?

Galtier décrocha son téléphone et appela l'appartement de Louis. Il n'y avait personne. Il fit monter Monier.

— Qu'on poste un homme à cette adresse. Qu'on intercepte Louis Vernon s'il rentre chez lui et qu'on l'amène ici directement. Vous ne savez pas où il a pu aller cet après-midi ? demanda-t-il en se tournant vers Jeanne. (Elle secoua la tête.) Alors, reprit Galtier, c'est tout ce qu'on peut faire pour l'instant. Qu'on poste aussi un homme à la Galerie Mex, on ne sait jamais.

Puis Galtier appela chez Gaylor. Tom comprit que c'était sa femme qui décrochait et qu'elle refusait de passer la communication au peintre.

— Ça m'est égal qu'on ne puisse pas le déranger ! dit Galtier. Je veux qu'on le dérange ! C'est un ordre ! Un ordre, vous comprenez ?

Tom vit le visage de Galtier se contracter pendant les minutes qui passaient. Gaylor ne venait pas au téléphone. Trop tard, pensa Tom, trop tard. Puis il sentit Galtier se détendre, et il reconnut le bourdonnement de la voix de Gaylor dans le récepteur. Galtier dicta ses consignes. Qu'il ne bouge pas. On allait faire garder son immeuble par la police. Qu'il ne bouge pas. Il n'avait rien à redouter s'il ne bougeait pas.

— Il a l'air affolé, dit Galtier en raccrochant. Tout le monde s'affole. Vous aviez raison Soler : il ne m'a pas posé une question. Il savait parfaitement ce qui l'attendait depuis cette soirée. Bon dieu, pourquoi n'a-t-il rien dit ?

Quatre hommes allaient cerner le 25 de l'avenue de l'Observatoire. On les relèverait à 11 heures.

— Soler, pourquoi ne pas m'avoir prévenu de ce rendez-vous chez Gaylor hier ?

— Il m'avait écrit que la police elle-même avait conseillé cette entrevue.

— Vous l'auriez su.

— Vous m'avez fait suivre toute la journée. Vous avez bien dû vous rendre compte que j'allais chez Gaylor.

— On ne t'a pas fait suivre.

— Un type fatigué, en imperméable, avec un journal.

— Non. Nos types ne se font jamais repérer.

À voir, pensa Tom. Il m'a fait suivre bien sûr. Et puis il se tut. Il s'en foutait. On allait attendre maintenant.

Chez Gaylor, on faisait le moins de bruit possible. Il avait commandé qu'on baisse tous les volets et l'appartement était dans la pénombre. Khamal servait des mescals. Gaylor avait l'air mal, agité, et Khamal voulait faire venir un médecin. Mais Esperanza l'avait interdit. Elle disait que ce serait pire encore. Elle avait dit, tu sais comme il est, il vaut mieux le laisser seul. Finalement Gaylor hurla. Il en avait assez de voir leurs têtes apeurées comme s'il allait claquer d'une seconde à l'autre. Il en avait assez de les entendre marcher à petits pas, il voulait qu'on lui foute la paix. Il sortit un billet de son portefeuille et le fourra dans la main de Khamal.

— Sors Khamal, sois gentil, va au théâtre, va te saouler, va faire n'importe quoi mais sors, je vous en prie, disparaissez tous les deux. Speranza, va dans ton salon, va te coucher, va faire quelque chose, je n'en peux plus de vous voir me regarder.

Le petit policier posté sur le palier entendait à travers la porte les éclats de voix de Gaylor. Et il se dit que, tout célèbre qu'il était, le grand Gaylor n'avait pas plus de sang-froid qu'un lapin. Cela lui fit très plaisir. Il en avait vu plus d'un, des grands hommes, oui, plus d'un, se tasser comme un paquet de poils et de peau dans le coin d'un mur. Il en riait tout seul quand il vit le visage désespéré de Khamal par la porte qui s'entrebâillait. Pauvre Khamal ! Il avait les paupières gonflées, l'expression défaite, et il fuyait la colère du maître, avec son argent froissé dans la main !

— Tu l'oublieras va ! lui cria le petit policier en se penchant par dessus la rampe.

Il rit encore. Il passait décidémment une très bonne soirée et il alluma une cigarette.

Galtier avait fait commander un repas, mais cela n'intéressait personne. Tom n'était pas autorisé à quitter le commissariat, ni le bureau, ni le regard de Galtier, et Jeanne ne voulait pas quitter Tom.

— Il est probable qu'on s'en fait pour rien, dit Galtier.

Il regretta aussitôt cette phrase qui n'avait pas de sens. Tom voyait qu'il avait les yeux presque fermés et les cils très longs. C'est rare ça, des cils aussi longs, pensa-t-il. Jeanne avait la tête dans les bras. Depuis une heure, Tom passait les doigts dans ses cheveux et il avait réussi comme ça à l'endormir un peu.

10

Louis fut surpris de ne pas trouver Tom.

— Il n'a pas pu venir. Il regrette. Nous devions nous voir tous les trois, et c'est remis. Mais on peut tout de même dîner ensemble.

— Qu'est-ce que voulait Tom ? questionna Louis.

— Je ne sais pas. Il ne me l'a pas dit.

— J'aime autant ça. Je n'ai pas envie de voir Tom en ce moment. C'est entendu, où irons-nous ?

— J'ai ma voiture. Nous pourrons choisir en route.

La voiture hoquetait un peu. Elle cala tout à fait derrière la gare de Lyon.

— Ça ressemble à une bougie ça, dit Louis, accablé d'ennui à l'idée qu'il allait falloir s'occuper de cette foutue machine en panne.

— Ou bien c'est la tête d'allumage.

— Peut-être. Mais moi je vois plutôt une bougie.

Louis ne connaissait rien à la mécanique. Mais il aimait bien en parler de temps en temps. Il se sentit agrippé à la gorge. Il se débattit car il lui sembla impensable que son aggresseur puisse avoir le dessus. Mais il étouffait et il ne put rien faire.

Tom dormait sur le banc du couloir, une main sur le ventre et l'autre touchant le sol. Galtier le prit par l'épaule.

— Ça y est, entendit-il. On vient de retrouver votre ami Louis sur un trottoir, derrière la gare de Lyon. Le pire est arrivé.

— Le pire arrive toujours, dit Tom.

Et il n'y eut plus moyen de le faire bouger pendant deux heures.

De temps en temps, Galtier passait, le secouait, et pensait que Thomas Soler avait l'air d'un homme fini.

En tout cas, le meurtre de Louis Vernon changeait bien des choses. Tom n'avait pas quitté le commissariat de toute la soirée. On ne pouvait imaginer plus innocent. Presque trop innocent peut-être. Galtier regarda Tom. Est-ce qu'il pouvait jouer la comédie, pleurer sur commande ? Est-ce qu'il aurait été de taille à monter un coup pareil ? Quel coup ? Faire tuer Louis par un complice dans le simple but de gagner son innocence ? Galtier trouva cette idée idiote et lugubre. Mais quelque chose le gênait. La police avait fouillé tout le passé de Tom et les résultats étaient désespérants. Tom avait peur des vaches et des bombyx. Qu'est-ce qu'on pouvait faire d'un type comme ça ? D'un autre côté, il avait passé des années à voyager seul dans des pays impossibles. Et il était violent, et toujours sur le point de se battre. Galtier avait même été proposer les photos des toiles de Tom à l'examen d'un psychiatre, démarche qu'il avait accomplie par devoir mais qui lui avait coûté beaucoup d'effort. Il n'en était sorti que des choses très ordinaires, qui avaient effaré le médecin, mais dont Galtier avait haussé les épaules. Angélisme, mégalomanie. Et alors ? Ce n'était pas une raison pour tuer tout le monde.

Il allait falloir aller trouver Jeanne Vernon, qu'on avait emmenée à l'infirmerie. Il allait falloir dire que Louis avait été étranglé et laissé pour compte sous la pluie du soir sur un trottoir de rien. Que la police n'avait rien su faire pour l'empêcher. Qu'on n'avait pas retrouvé le meurtrier et que cela risquait encore de durer longtemps comme ça et que lui, Galtier, était un zéro.

Et Soler qui ne voulait toujours pas remuer et qui faisait le mou sur ce foutu banc. Le type accompli de l'homme efficace. Pas une seule fois il ne s'était comporté comme il l'aurait fallu. Dans une minute Galtier se lèverait, il allumerait une cigarette et il dirait foutaises. C'est ce qu'il fit en effet et cela lui fit un peu de bien.

Il appela chez Gaylor, et dit qu'on avait tué Louis et qu'il arrivait. Qu'on ne bouge pas. Il prit un homme avec lui. Cette fois, il allait cracher le morceau le peintre. S'il avait bien voulu parler plus tôt, au lieu de protéger sa renommée des salissures, Louis Vernon ne serait sûrement pas mort. Et Galtier était exaspéré de cette mort. On l'en avait prévenu quelques heures plus tôt et elle s'était malgré tout produite. Soler l'avait supplié de l'empêcher. Mais son impuissance avait été publique. Et surtout il y avait Jeanne. Dans les limites de son indifférence, Galtier avait été troublé. Même tout à l'heure à l'infirmerie, après lui avoir dit pour Louis, elle avait eu une telle expression qu'il lui avait serré fort le visage entre ses deux mains. Il n'aurait pas voulu qu'elle s'écroule, c'est pourquoi il avait dû serrer si fort. Oui, cette fois-ci, il allait cracher le morceau le peintre.

En sortant, Galtier ne put s'empêcher de jeter un œil sur le banc. Il était toujours là.

— Chef, qu'est-ce qu'on fait pour Soler ?

Galtier haussa les épaules.

— On le laisse là.

Là ou ailleurs, il s'en foutait.

Gaylor ne voulait recevoir personne, expliqua Khamal en barrant la porte. Galtier l'écarta violemment, et en homme qui connaît les lieux, ouvrit la porte du salon, attrapa une chaise et se campa devant Gaylor. Il était étendu dans un fauteuil.

— Bon dieu vous n'êtes pas encore mort ! dit Galtier à voix basse et rapide.

Gaylor reposa son verre et leva la tête. Galtier plia dans l'ombre sous l'éclat du visage. Il lui sembla que Gaylor avait pu pleurer mais il n'en était pas sûr.

— Il faut que vous parliez maintenant, reprit Galtier plus doucement.

Gaylor ne dit rien et Galtier tira une cigarette. Du doigt, Gaylor fit glisser le cendrier vers lui.

— Merci. Il faut que vous parliez maintenant. Il est mort. On l'a étranglé. Étranglé, vous comprenez.

Gaylor fit juste un mouvement avec ses lèvres.

— Vous l'avez tué, dit Galtier en cassant encore plus sa voix.

— Vous dépassez les bornes, inspecteur, dit lentement Gaylor.

— En vous taisant vous l'avez tué. Si vous m'aviez parlé, on l'aurait protégé. Mais vous avez préféré nous laisser croire au soi-disant meurtre de Saldon, vous m'avez laissé poursuivre une illusion, alors que depuis le début vous saviez que c'était vous qu'on avait cherché à tuer. Vous et Louis avec. Et vous n'avez pas bougé. Vous avez laissé faire. Eh bien c'est fait à présent. Reste la moitié du travail à finir. Alors ?

— Je n'ai pas pensé qu'on pourrait retrouver Louis.

— Bien sûr, vous n'y avez même pas pensé. Vous n'avez pensé qu'à vous-même. Pensé à la révélation pénible du scandale qui vous rattrapait après vingt ans. Mais qu'avez-vous donc fait ? Il semble pourtant qu'en Amérique vous étiez moins soucieux de votre image. Mais on change, n'est-ce pas ? L'âge apporte le goût de la sécurité paisible, de la fortune qui rentre à flot, toile après toile. Et pour ne rien défaire de tout cela, vous vous êtes tu. Vous avez sans doute cru pouvoir régler l'affaire tout seul, à l'étouffée, avec de l'argent peut-être. Mais vous n'avez rien pu faire, et Louis est mort ! Cela ne vous fait rien peut-être ?

— Bien plus qu'à vous-même, inspecteur.

— Vous êtes glorieux peut-être, mais vous êtes méprisable.

— Cela vous regarde de le penser et cela m'indiffère. Vous échafaudez, vous insultez, vous condamnez sans savoir ; cela m'étonne venant de vous mais cela m'indiffère. Peu m'importe. Je vous croyais simplement différent. Et maintenant, inspecteur, écoutez-moi bien, vous allez avoir votre histoire.

Galtier se servit un verre et resta debout.

— J'ai connu Louis à Frisco, il était très jeune, à peu près vingt ans. Je l'ai rencontré dans un bar, où il cherchait l'aventure par tous les moyens – comment diriez-vous – de la dissolution. Et moi pendant ce temps je cherchais l'enfer. C'est cela, l'enfer. Je souhaitais que les brûlures des bas-fonds détruisent en moi toute passion, tout orgueil, toute croyance. Dissolu, dissous, quelle différence ? Peu importe mes raisons, vous ne les comprendriez sans doute pas si le désir d'un destin divin ne vous a jamais malmené.

» Ensemble, le petit Louis et moi, nous avons épuisé les offrandes de Frisco. Mais vous devez savoir cela n'est-ce-pas, avec tous les détails nécessaires. On trouve toujours quelqu'un pour vous le raconter.

» Pendant six mois, nous avons côtoyé les pires crapules et les plus délicieuses aussi. Qu'avons-nous fait au juste ? Je ne m'en souviens pas très bien. Toutes les nuits se ressemblaient un peu, et l'alcool et la drogue effaçaient jour après jour nos souvenirs. Il n'y avait aucune raison pour que cela cesse, et, contrairement à ce que l'on dit, le scandale fait autour de mon nom m'amusait infiniment. J'aurais voulu qu'il fût pire encore. Cette déchéance et l'horreur qu'elle provoquait me semblaient charmantes. Mais un matin, j'ai ouvert les yeux et j'étais allongé sur le sol d'un bar, le *Company*, et je voyais les tables par en-dessous comme d'énormes masses noires et menaçantes. Tout le corps me faisait mal, comme si j'avais été piétiné, et sur le dessus de mes bras, il y avait deux longues estafilades qui saignaient, depuis le coude jusqu'au poignet.

Sans s'interrompre, Gaylor remonta lentement ses manches pour les découvrir.

— Le patron du bar me lavait le visage avec un linge glacé. Il paraît qu'un médecin était venu, qui m'avait bandé la tête. Et John, c'était le patron, John Hurst, était terrifié et il disait : « Vous n'auriez pas dû faire ça, vous n'auriez pas dû faire ça tous les deux. Vous avez été fous, ils vous rattraperont, un jour ou un autre. C'est ce qu'ils ont dit et ils le feront. Fallait pas y toucher. Faut filer mes enfants chéris, faut vous mettre debout et filer. »

» Il ne disait rien d'autre. Il ne pouvait rien raconter de plus, il fallait qu'on file. Et si vous le cherchez, John Hurst, comme je l'ai fait plus tard, c'est peine perdue. Il avait filé quelques jours après cette histoire. Sans doute avait-il dû appeler de l'aide pour nous défendre, et il devait disparaître après ça.

» Louis est resté cinq jours couché. Je l'avais emmené dans un petit hôtel de banlieue où je l'ai fait soigner comme je l'ai pu. Il était drôlement touché, et lui aussi, il avait été saigné sur les bras. Vous pourrez voir ses cicatrices. Pendant des heures, on a cherché à se rappeler ce qui avait bien pu se passer, avec la sensation qu'on avait dû aller trop loin. Il y avait des gens dans ces bars qu'il valait mieux ne pas provoquer. Louis se souvenait simplement qu'il avait cassé une bouteille sur la table, et d'un homme en costume foncé. Moi je ne voyais pas du tout cet homme en costume. Je voyais une femme très maquillée qui avait crié. Louis était tellement jeune, il était sonné. Il voulait rentrer dans son pays, dans sa ville surtout. Paris. Il appelait sa sœur et puis sa mère. On est restés cachés pendant toute une semaine, et sans même savoir pourquoi. On se cachait. C'était tout ce qu'on était capables de faire. On était tous les deux au bout de notre chute. On a été ramasser la petite sœur, et on a filé, sans prévenir personne.

Gaylor se rassit. Galtier eut l'impression qu'il se contractait, mais il prit simplement une cigarette et posa lentement son front sur son poignet.

— Êtes-vous content maintenant ? Non, bien sûr. Il faut encore que vous sachiez pourquoi je ne vous ai rien dit jusqu'ici, n'est-ce-pas ? C'était il y a vingt-deux ans, j'avais oublié cette histoire. C'est vrai, pendant de longues années, j'ai eu des appréhensions, et je ne pouvais me défendre de surveiller tous les Américains qui m'approchaient. Et puis j'ai fini par ne plus y penser. C'était oublié. Pourquoi est-ce qu'on aurait encore cherché à me tuer après tant de temps ? Bon dieu pourquoi ? Qu'est-ce que j'avais pu faire de tellement grave cette nuit-là ? Le soir du meurtre de Robert Saldon, en voyant la cape qu'il portait sur lui, j'ai pris peur à nouveau. Mais cela me semblait impossible. Après tout, on avait bien pu vouloir assassiner Robert. Je me suis accroché à cette idée. La police m'a appris que Robert avait sursauté en entrant ici. Il avait dû reconnaître quelqu'un, c'était le plus probable. Ce meurtre ne me concernait pas. Alors, pourquoi ressortir cette vieille histoire pour rien ? Je répugnais à y penser. Car même enfouie, il me semblait que le moindre geste imprudent pouvait la rendre à nouveau dangereuse. Je ne voulais pas la toucher, je ne voulais pas l'animer. Parce que Louis, inspecteur, Louis, personne ne savait qu'il était à Frisco. Louis était tout à fait en sécurité, quoi qu'il advienne. C'est en parlant que je risquais en revanche de le compromettre et de le mettre vraiment en danger, en le désignant comme mon compagnon de la nuit du *Company*. Comprenez-vous ? J'ai préféré ne plus y penser, m'imaginer que c'était vraiment à Robert qu'on en avait voulu. Robert avait très bien pu devenir un truand, n'est-ce pas ?

» Et puis maintenant ils ont eu Louis. Comment ont-ils su pour lui ? Comment ? Il ne devait jamais rien dire à personne. Je le lui avais fait promettre. Mais ils l'ont eu. C'était donc bien ça.

Gaylor rabaissa ses manches.

— Rideau, dit-il.

Galtier n'avait rien à dire. Qu'est-ce qu'il aurait pu dire ? Il aurait souhaité pouvoir s'excuser, mais il n'aimait pas ça, et ce serait pire de toute façon. Et que pouvait lui faire après tout que Gaylor ait ou n'ait pas une bonne opinion de lui ?

Il tourna un moment dans la pièce, les mains croisées dans le dos, écrasant les lattes du parquet sous les tapis.

— La police laissera deux hommes dans la rue.

— Et alors ? Vous ne pourrez pas le faire éternellement. Et je ne vais pas passer ma vie dans cette pièce aux volets tirés, n'est-ce pas ? Ni vous ni moi ne savons le visage de celui qui viendra pour me tuer.

— Nous trouverons. L'enquête sur le meurtre de Louis Vernon ne fait que commencer.

— C'est votre métier de le dire et d'y croire. Ce n'est pas le mien.

— Pourtant, insista Galtier, au cours des jours qui viennent, je vous prie de prendre garde à vous-même. Ne nous compliquez pas la tâche en vous exposant sans nous prévenir. Même par bravade. Mais je crois que vous serez plus prudent que vous ne me le laissez croire.

— C'est possible, dit Gaylor.

Galtier vit qu'il souriait un peu, et il en profita pour lui tendre la main.

— Mais voyez-vous, reprit-il, je ne sais pas ce que j'ai fait cette nuit-là. Je ne le sais pas. Ai-je fait quelque chose d'horrible ? Quelque chose qui mérite sa peine ?

— Est-ce vraiment là votre morale ?

— Non. Bien sûr que non. Mais parfois je me demande. Cette nuit effacée me hante souvent. Bonsoir, inspecteur.

Une fois dans la rue, Galtier se sentit ému, faible et furieux. Mais qu'est-ce qu'ils avaient tous ? Ils le menaçaient. Gaylor, Soler, et Jeanne, et Esperanza, tous, tous. Il n'y en avait pas un pour se comporter normalement. À croire que c'était lui, Galtier, l'accusé, l'accusé de tous leurs regards.

Au moins, quand on tombait sur ces types qui vous traitaient tout de suite de sale flic et de pourri, les choses étaient claires, la discussion était close et tout allait droit. Mais là, rien n'allait comme d'habitude. On le jaugeait, on l'observait, on le questionnait. Non, rien ne marchait dans cette enquête. On ne le laissait pas en paix. Qu'ils aillent tous au diable. Pourquoi est-ce qu'il pensait à eux ? Il n'avait à penser qu'aux événements.

Galtier écouta le bruit de ses pas. Il rentrerait à pied au bureau, il était plus de 2 heures maintenant, et il n'y avait pas de lune. Il fit un peu plus de bruit avec ses chaussures. C'était exceptionnel qu'il le fasse. Tous les jours de la vie, il sentait assez sa force pour ne jamais penser à marquer sa marche. Mais ce soir, c'était vraiment nécessaire qu'il écoute ce rythme rapide dans la nuit.

Dans le couloir, il retrouva Soler. Il s'était assis. Allons. Encore un effort et il serait debout. Finalement Soler n'était qu'une loque. Galtier fit la moue. Tom le dévisagea quand il passa devant lui, droit, sans même tourner la tête.

— Inspecteur ! appela-t-il.

Galtier ne se retourna pas et chercha ses clefs dans sa poche.

— Inspecteur !

— Quoi ? Rentre chez toi bon dieu ! Tu n'as rien à faire ici !

— Vous faites du bruit en marchant. Est-ce qu'il y a du neuf ? Est-ce que vous avez trouvé quelque chose ?

Galtier serra les dents.

— File d'ici. Tu m'épuises. Tu peux comprendre ça ?

— Vous ne voulez pas me répondre ?

— Non. Je n'ai pas envie de parler. Va dormir, Thomas Soler. Laisse-moi.

Galtier entra brutalement dans son bureau, lança ses clefs sur la table. Elles glissèrent et tombèrent dans la corbeille. Parfait, qu'elles y restent. Est-ce qu'il allait aussi tout rater en lançant sa serviette sur le fauteuil d'angle ? Oui. Il l'avait raté. Ses papiers s'écrasèrent au sol. Très bien, qu'ils y restent. D'un revers de manche, il dégagea sa table, s'assit, croisa les bras et posa la tête dessus. Comme ça, les yeux dans le noir, il serait bien. Près de son regard, il ne voyait que les motifs dorés de son sous-main, troubles et inoffensifs, et il ne penserait qu'à eux. Et le temps coulerait.

Une heure peut-être passa ainsi. Galtier sentait que le tissu de sa veste s'était incrusté dans son front et que sa violence était à peu près tombée. Pas loin de lui, il entendit quelqu'un qui dit : « Malgré tout, je vous aime bien. » Et c'était comme si on avait parlé du temps qu'il faisait.

Galtier se redressa d'un coup. Tom était assis de l'autre côté du bureau, il fumait, les pieds posés sur l'angle de la table. Il avait l'air fatigué et un peu grave.

— Qui vous a permis d'entrer ? demanda Galtier d'une voix rauque. Je t'avais demandé de foutre le camp. De quel droit t'installes-tu ici sans mon ordre ? De quel droit ? hurla-t-il. De quel droit ?

Surpris, Tom replia ses longues jambes et considéra Galtier en reculant un peu dans l'obscurité.

— Mais je ne sais pas. Je n'ai pas réfléchi. La porte était restée ouverte et je vous ai entendu faire beaucoup de bruit, et puis plus rien. Et je ne voyais pas de lumière. J'ai eu peur que vous ne soyez tombé ou je ne sais quoi. C'est naturel. Et comme vous étiez là, la tête dans les bras, j'ai été chercher mes cigarettes sur le banc et je me suis assis sans bruit et je vous ai tenu compagnie. Je me sentais incapable de rentrer chez moi, je préférais être là. Je ne comprends pas pourquoi vous vous énervez comme ça. Qu'est-ce que j'ai fait de mal ? Je me suis assis, j'ai réfléchi, j'ai refait le monde comme le premier venu.

— Et depuis combien de temps me « tiens-tu compagnie » avec autant de sollicitude ? Dis-moi, combien de temps ?

Tom vit que Galtier s'essuyait le front et les lèvres avec la main.

— À peu près une heure je crois. Je n'en sais rien, je n'ai pas ma montre.

— Qu'est-ce que tu as foutu ici ? Tu as fouillé mes papiers ! C'est cela ! Tu as fouillé mes papiers !

— Vous êtes fou, dit Tom. Je n'ai rien à faire de vos papiers. J'en ai suffisamment à moi. Je préfère être assis et réfléchir dans le noir que de fouiller dans vos papiers. C'est ainsi, et je ne vois pas ce qu'il peut bien y avoir d'extraordinaire là-dedans.

— Eh bien moi je le vois. Moi, je le vois. Tu te conduis de manière insensée, intolérable. Qu'est-ce que tu as dans le ventre, bon dieu ! Qu'est-ce que tu cherches ? Tu es venu prendre quelque chose, oui c'est cela que tu es venu faire !

Tom vit que Galtier se tenait le ventre. Il devait avoir subitement mal. Il vit sa main longue descendre le long du fil de la lampe, allumer. Il y avait tout un tas de papiers par terre.

— Ce n'est pas moi qui les ai renversés, dit Tom.

— Je le sais ! hurla Galtier.

Il ramassa le contenu de sa serviette, vérifia sans un mot, les dents inférieures mordant la lèvre, qu'il n'y manquait rien, déverrouilla ses tiroirs, feuilleta tous ses dossiers, compta ses notes. Tout avait l'air d'être là.

Tom, les coudes sur les genoux, le regardait faire. Galtier alla à la porte, la claqua, tira le verrou.

— Lève-toi, ôte ta veste, tes pompes, retourne tes poches, dépêche-toi.

La voix de Galtier était si blessante que Tom voulut protester.

— Fais ce que je te dis où tu repasses au frais quarante-huit heures. Et arrête de discuter avec moi ! Arrête bon dieu ! Je ne veux plus jamais t'entendre ! Jamais !

Tom n'avait rien pris. Galtier retrouva son souffle. Soler cherchait seulement à l'égarer, à l'énerver, à l'aveugler. Soler se vengeait et il était habile. Qu'est-ce qu'il avait dit tout à l'heure ? Est-ce qu'il imaginait seulement qu'il allait se troubler, s'attendrir, tout oublier ? Oublier qu'il avait filé le soir de l'assassinat de Saldon, qu'il avait fait questionner Louis Vernon ? Et oublier que Louis était mort ce soir ? C'est entendu, Soler n'avait pas bougé. Mais qu'est-ce que ça prouvait en fin de compte ? Galtier rejeta ses cheveux en arrière en y passant la main et dit :

— Cette fois, tu t'en vas. Tu peux comprendre ça ?

— Ça et une infinité d'autres choses dont vous n'avez pas idée, dit Tom.

Il attrapa sa veste et mit un petit peu de temps à l'enfiler, parce que son bras avait passé entre la doublure et le tissu, et qu'il essayait de se dégager lentement. Galtier le regardait faire et Tom sentait qu'il contenait sa fureur.

— Pardonnez-moi, dit-il, mais si je vais trop vite, toute la manche va s'arracher et je ne pourrai certainement jamais la recoudre.

— Je comprends, dit Galtier. Prends ton temps.

— Et voilà, dit Tom. C'est fait.

Galtier n'eut pas la force de lui répondre. Il sonna et fit prévenir qu'on le laisse sortir. Demain il appelerait Vuillard. On irait perquisitionner chez Louis Vernon. On avait mis les scellés dès la nouvelle du meurtre et la porte serait gardée toute la nuit. De ce côté au moins tout devrait bien se passer. En sortant, il croisa quatre hommes qui partaient prendre la relève avenue de l'Observatoire. Cette nuit, tout devrait bien se passer.

Tom ne s'était pas décidé à rentrer directement chez lui. Il aurait voulu marcher le plus longtemps possible. Il était passé devant l'immeuble de Gaylor pour voir si tout était normal. Il était exclu de s'approcher trop près. On le reconnaîtrait, Galtier prendrait un nouveau coup de sang, et le démolirait avec sa voix douce et cassée. Il n'y avait décidemment pas moyen de s'arranger avec cet homme, et Tom, d'une certaine façon, le regrettait. Il se demandait ce qu'il pouvait bien faire pour mettre Galtier hors de lui. Rien. Il le mettait naturellement hors de lui.

De loin, appuyé sur un tronc d'arbre mouillé, Tom voyait deux factionnaires qui fumaient sur le trottoir. On gardait Gaylor. Pauvre Louis. En levant les yeux, Tom vit la lumière à l'étage. Le peintre devait lire, ou marcher, ou réfléchir. Tom sourit et reprit sa marche. Il ne serait pas endormi avant 4 heures. Il ne serait pas levé avant midi.

11

Jeremy avait eu des difficultés à trouver
l'adresse de Robert Henry Saldon. Il y avait beaucoup de Saldon à Frisco. Quand il se présenterait
chez sa veuve, il irait au plus simple, c'était toujours ce qu'il y avait de mieux. Il serait journaliste, et il ne voyait rien à redire à ce projet qui lui
semblait bon et facile. Dans le car qui l'emmenait
dans la banlieue nord de la ville, il répéta son rôle.
Il était 6 heures quand il descendit et il y avait
encore du chemin à faire à pied. C'est en marchant
qu'il changea brusquement d'avis. Qu'est-ce que
c'était que cette histoire de journaliste ? C'était
impensable qu'il se soit laissé aller à ramasser
cette vieille idée idiote, répugnante surtout quand
on pensait à la sueur de tous ceux qui l'avaient
endossée. C'est à se battre ! dit-il à voix haute.
Encore cette foutue négligence où il avait glissé.
Il ne le raconterait à personne. Cela lui rappela
la fois où il avait manqué acheter des chaussures

sans intérêt sous le prétexte qu'il était bien dedans. Faire le journaliste ! Stratagème petit, pensée facile, réflexion indigente. Décidément, cette heure bâtarde de la journée qu'il détestait, quand l'après-midi n'est pas encore finie, et quand la soirée n'est pas encore commencée, ce pont flottant entre deux rives, était un moment assez dangereux à passer. On n'y était vraiment à l'abri de rien. Grâce à Dieu il avait appris à s'en méfier, à s'embusquer, et à tuer avec férocité ces apparitions infernales de la médiocrité. En arrivant devant le 334, Jeremy cessa de rire et sortit deux cravates de sa poche. Il les appréciait également, et il n'avait pas encore pu arrêter son choix. Il hésita assez longuement avant de se décider. Si Tom avait été là, il se serait sans doute exaspéré. Cette bouderie dans la voiture avait été imbécile, il aurait dû se contrôler. Certes, cela aurait été tellement mieux. Toujours se contrôler. Mais quel ennui terrifiant.

La femme qui ouvrit la porte n'était pas du tout comme il l'attendait. Qu'est-ce qu'il avait donc attendu ? Un bout de femme résigné avec des yeux battus, malmenée par des jours insipides et qui se serait essuyé les mains sur son tablier ? Ou quoi encore ? Un être raide et râpeux, avec un chignon et qui aurait baissé le regard ? Et à l'intérieur de la maison, qu'est-ce qu'il avait cru trouver ? Un parquet verni, un bac à chat, et puis des housses sur les fauteuils ? Quelque chose de pauvre, de digne et de bien arrangé ? Jeremy serra les poings.

Tu ne vaux pas un clou ce soir. Non, je ne sais pas ce qui se passe mais tu me fais honte.

Il serra chaleureusement la main de Mme Saldon. Elle avait sûrement plus de cinquante ans, quelque chose de direct sans brutalité, un sourire attendrissant. Jeremy la trouva étonnante. Et elle avait été trente ans l'épouse de Robert Henry Saldon. Foutue machine que l'existence.

Mme Saldon avait d'abord craint que Jeremy ne soit venu lui vendre quelque chose. Elle balaya d'un geste rapide et les lèvres serrées les condoléances de Jeremy, avec le mouvement d'une femme qui souhaite que nul ne se mêle sans savoir.

Jeremy comprit, et mal à l'aise sous le regard de Mme Saldon qui forçait l'aveu, exposa rapidement sa démarche : son père avait passé un temps de sa vie aux États-Unis, il était professeur attaché à l'Université. C'est là qu'il avait fait la connaissance de Robert Saldon, il leur en avait parlé parfois. Il savait que son père s'était laissé dessiner par Saldon. Cela ne disait rien à Mme Saldon, Gérard Mareval, non vraiment rien. Mais son père venait de mourir, et Jeremy, en mission en Californie, avait eu l'idée de ce détour, oui il aurait tellement souhaité rechercher dans les carnets de M. Saldon si par hasard quelque trace de son père, quelque empreinte...

— Je n'ai plus rien à lui ici, interrompit Mme Saldon. Mais si vous voulez bien me dire la véritable raison de votre visite, et si je la trouve intéressante, je vous indiquerai le moyen de consulter ces carnets.

Décidément, ce soir n'était pas un bon soir. Il ne valait rien. Jeremy sourit.

— C'est bien. Je reprends tout autrement.

Jeremy parla longtemps. Il faisait durer le temps parce qu'il avait plaisir à s'expliquer devant elle.

— Vous auriez certainement dû commencer par là, dit-elle. Votre première histoire n'était pas bonne du tout.

— Non, convint Jeremy.

— Votre père est vivant ?

— Bien sûr.

— Du thé vous ferait-il plaisir ?

Jeremy accepta et sucra beaucoup.

— Vous êtes gentil, reprit-elle. Je veux bien vous aider à présent, même si vos idées m'étonnent un peu. J'ai versé tous les documents de Robert aux Archives de la ville. C'est ce qu'il voulait. Je n'ai pas pu m'empêcher d'en conserver quelques-uns, mais ils ne pourraient pas vous intéresser.

— Combien y-a-t-il de pièces dans le fond Saldon ?

— Près d'un millier, je crois.

Jeremy soupira.

— Si vous le voulez, j'écrirai un mot d'introduction pour faciliter votre accès aux Archives. On pourrait dire que vous êtes historien d'Art par exemple.

— Ce serait très bien, dit Jeremy.

Mme Saldon lui sourit et but une gorgée.

— Je regrette de m'être comporté comme un crétin tout à l'heure, reprit-il. J'ai dû vous offenser. Mais ce soir je ne vaux pas un clou. Bien sûr cela ne vous intéresse pas, mais c'est tout de même pour vous dire que d'ordinaire je suis mieux que cela. Mais vous, pourquoi avez-vous parlé ainsi à la police française ? Pourquoi avez-vous dit que vous aviez interdit à votre mari de revoir Gaylor sous le prétexte que sa conduite était scandaleuse ? Cela ne vous ressemble pas de parler comme ça.

— Mais c'était la vérité pourtant. J'ai parlé exactement comme ça et Robert a été surpris mais il a obéi. J'ai un peu connu R.S. Il est venu quelquefois ici, dans le fauteuil où vous êtes. C'est un homme d'une considérable envergure, comme on a peu l'occasion d'en voir. Et je peux bien avouer qu'il était difficile de lui résister. Il avait un visage tout à fait extraordinaire, c'est vrai, je l'aimais assez. Robert le suivait comme il pouvait et cherchait à lui ressembler. Graduellement, il avait modifié sa coiffure, son costume, sa démarche, ses intonations, et il ne s'en rendait même pas compte. C'était pénible à voir. Mais d'ailleurs R.S. l'aimait bien, et il n'a jamais joué avec lui. Et puis il y a eu la mort de sa femme, et cet accident et cette clinique. Et quand j'ai appris par les journaux où R.S. partait chercher sa consolation, ou son inspiration, je n'en sais rien, j'ai pris peur pour Robert. Je savais bien qu'il ne supporterait pas plus de quelques semaines un tel traitement, qu'il allait s'y épuiser. Mais je ne pouvais dire à Robert qu'il ne tiendrait pas le coup, qu'il n'avait pas la carrure nécessaire. Cela l'aurait humilié. Alors, j'ai été une épouse indignée. Et il m'a donné sa promesse de ne plus tenter de le revoir.

— Avez-vous eu de la peine de ne plus le revoir ?

— Oui. Dans cette histoire, je n'étais pas plus résistante que Robert avec Gaylor.

— On dit qu'il est encore magnifique.

— Je le sais.

Jeremy n'aurait pas voulu partir. Il se sentait bien chez elle. Mais elle avait l'air un peu triste à présent. Il avait dû soulever des tas d'impressions douloureuses. Il prit congé avec lenteur. Il faisait nuit et elle avait appelé un taxi. Jeremy se courba assez cérémonieusement devant elle quand il entendit la voiture arriver et lui dit qu'il ne l'oublierait pas. En roulant, il relut son billet de recommandation, et pensa à Saldon. Est-ce que Tom n'avait pas fait un peu vite en lui décrivant cet homme ?

Le lendemain, Jeremy n'avait pas l'intention de se lever. Les Archives n'ouvraient qu'à 2 heures, de toute façon. Est-ce qu'il s'y rendrait aujourd'hui ? Il avait une conférence à donner à 5 heures et il allait être obligé de se précipiter. Loin des autres, Jeremy se sentait se détacher lentement de l'affaire Saldon. Il avait dû prendre le mors pour pas grand-chose, à quoi bon aller gaspiller du temps aux Archives alors que si ça se trouvait, là-bas, à Paris, à la capitale, ils avaient déjà serré le coupable par d'autres moyens. Peut-être y avait-il eu des aveux ? À quoi bon s'en faire ?

D'une main, Jeremy fouilla le tiroir de la table de nuit, qui était si laide, attrapa une cigarette et du feu, et ferma les yeux. De toute manière, il allait téléphoner à Lucie, dès qu'il aurait fini de penser à des choses et d'autres, et ensuite seulement il se lèverait.

En entendant sa voix, Jeremy referma ses doigts sur l'écouteur. Quelque chose n'allait pas.

— On a tué Louis hier soir, dit Lucie d'un ton lointain.

Jeremy appuya son front contre le mur. Il aurait dû appeler plus tôt. Debout maintenant, il se tenait d'un bras au lit, et s'agrippait au sol en serrant ses pieds dans la laine du tapis. Il aurait dû appeler beaucoup plus tôt au lieu de profiter avec nonchalance de sa solitude inhabituelle. Louis qui avait été étranglé, Louis, l'ancien ami de Gaylor.

— C'est impossible ! hurla-t-il.

— Je t'en prie, dit Lucie, pourquoi faut-il toujours que tu hurles ?

— Je ne hurle plus. Pardonne-moi. Je suis tellement perdu. C'est impossible. Donne-moi tous les détails que tu connais, c'est très important. Essaie de te souvenir de tout. Hier soir, mais vers quelle heure ? C'est Tom qui a prévenu la police avant le meurtre ? Comment cela, avant le meurtre ? Ah ! très bien, je comprends. Et Tom est resté tout le temps au commissariat ? Oui j'imagine. Il ne peut rien faire comme les autres. Et Gaylor, comment a-t-il réagi ? Tu n'en sais rien évidemment. Oui Lucie tu es un ange, c'est ce que je vais faire. Comment dis-tu ? Mais où veux-tu que je trouve ça ici ? Mais ne t'inquiète pas je vais me calmer, ça ira très bien. C'est seulement que je n'y comprends plus rien. Tu sais dans quel état cela me met. Bien sûr. Embrasse Tom aussi. Et dis-lui bien de garer sa peau, à la fin, qu'il se tienne tranquille. C'est ce qu'il compte faire ? Je t'entends très mal, parle plus fort, tu n'as qu'à crier. Bien. Très bien.

Jeremy laissa tomber le téléphone. Trop de temps perdu. Il aurait dû se mettre au travail dès son arrivée comme il l'avait décidé en partant. Au lieu de cela, il s'était laissé emporter par le luxueux séjour que lui avaient préparé ses collègues, il avait banqueté et bu, il avait discuté de façon délicieuse et à perte de nuit des trajets des protons et de leurs aberrations et autres foutaises. Même il s'était levé un soir avec son verre et il avait improvisé un discours fantastique sur l'interprétation philosophique qu'on pouvait tirer des cheminements de la matière. Il avait été applaudi, et ensuite, ils avaient chanté probablement, mais il n'en avait que des souvenirs intermittents. Et pendant qu'il goûtait avec quelques esprits sélectionnés les raffinements de l'abstraction, Louis se faisait serrer le cou comme une pauvre andouille.

Il fallait qu'il décommande sa conférence de l'après-midi, qu'il annule tout. Les protons pouvaient toujours attendre. Il réussit à joindre le directeur de l'Université. Il expliqua nerveusement qu'il s'était écrasé le pied contre le cadre de fer de son lit, qu'il souffrait comme un damné, que ses phalanges étaient en bouillie et qu'il allait falloir qu'il répare ça sans attendre. Il était hors de question qu'il donne sa conférence cet après-midi. Bien sûr cela ne l'empêchait pas de parler, mais les phalanges de son pieds étaient plus essentielles que l'agitation des molécules, et il s'en occuperait d'abord. En raccrochant, Jeremy se dit qu'il aurait dû trouver autre chose. Le directeur n'avait pas eu l'air de comprendre. Il n'avait sûrement jamais dû se broyer les doigts contre un obstacle métallique. Quiconque en est passé par là, dit Jeremy à voix haute en passant sa chemise, sait respecter en connaisseur la douleur d'autrui.

Il finit de s'habiller dans l'ascenseur de l'hôtel. Il irait déjeuner en face du bâtiment des Archives, et à 2 heures il bondirait. Avec le billet de Mme Saldon, il trouverait plus vite ce qu'il cherchait. Si ce qu'il cherchait existait bien sûr, si ce qu'il cherchait était juste. La mort de Louis bouleversait tout. Pour la première fois, Jeremy pensa qu'il avait peut-être fait un faux pas, et cela ne lui fit pas plaisir.

Il s'installa contre un arbre, parce qu'il n'y avait pas de restaurant en face des Archives. Et il attendit l'assaut. Pour tuer le temps, il s'exerça à l'immobilité reptilienne la plus parfaite.

12

Avant de faire briser les scellés qui défendaient lugubrement l'accès à l'appartement de Louis, Galtier se tourna lentement vers les deux hommes qui l'accompagnaient.

— Faites-moi d'abord rentrer toutes ces têtes avides dans leurs trous à rats, commanda-t-il.

Ulcérés, les voisins qui s'étaient rassemblés libérèrent le couloir en silence.

— Et ça se tire comme des cloportes bien sûr. Quant à vous deux, je vous recommande instamment la plus grande délicatesse dans la conduite de cette perquisition. Vous m'avez bien compris ? Je ne veux à aucun prix que la petite sœur retrouve l'appartement dévasté par des mains aveugles et blasphématoires. Absolument pas. On soulève un papier, une fourchette, un livre, et on le replace dans son empreinte exacte ! Exacte, n'est-ce pas ? Comme on le ferait d'un rocher sur la grève. Et si j'en vois un qui casse quelque chose avec un geste indifférent et imbécile, c'est lui que je casse. C'est clair ?

— Parfaitement, dit Monier sourdement.

Sans bruit, en ouvrant et reposant doucement chaque livre de la bibliothèque, Vuillard et Monier échangeaient des moues sombres.

— Il déraille Galtier, glissa Monier.

— Je ne sais pas, dit Vuillard.

— Tu le défends toujours, mais moi, je te dis qu'il déraille. Il lâche la barre, il se dégonde. Tu sais très bien que c'est vrai.

— C'est l'autre, l'artiste, il l'énerve je crois.

— Soler ? Moi, je le trouve plutôt gentil.

— Il paraît qu'il ne faut pas s'y fier.

— Des blagues. C'est Galtier qui déraille. J'ai entendu dire que Soler avait peur des papillons de nuit, tu te rends compte ?

— Ça peut arriver. Cela ne veut rien dire.

— Moi je peux les prendre dans mes mains. Même les plus grands, les plus velus, les sphynx, je peux les prendre.

— Cela ne veut rien dire.

Galtier avait fouillé la chambre, l'atelier photo, la salle de bains. Il ne savait pas ce qu'il cherchait. Parce qu'il devait le faire, il avait cogné du doigt sur les murs, pour chercher les creux, il avait soulevé les tableaux, dépunaisé les photos, examiné le matelas, les coussins.

— Qu'est-ce que ça donne par ici ?

Vuillard battit des bras. Ça ne donnait rien.

— Les relevés de chèques, cela vous tente ?

Galtier les feuilleta un à un, certain de ne pas y trouver le mouvement de fonds inexplicable qui avait fait le bonheur de tant d'enquêtes. Un type régulier comme tout, Louis Vernon, c'était clair.

Il entendit Monier gémir. Tous ces cartons de photos, il n'en finirait jamais.

— Envoie-moi ça Monier, dit-il. Occupe-toi de la cuisine.

Il y avait là-dedans des quantités impressionnantes de clichés, et parmi eux des réussites indiscutables sur lesquelles Galtier s'attarda. Louis serait devenu quelqu'un. Un rouleau de photos glissa au sol et Galtier se décrocha l'épaule pour le rattraper sans avoir à se lever de sa chaise. Il était las. Il frissonna en reconnaissant le visage de Gaylor. La photos du dessus avait pris le soleil et avait passé. Mais le trombone qui tenait la liasse était neuf. À l'encre, on avait écrit dessus, récemment semblait-il, « SF 63 R.S. et autres ». San Francisco, 1963, Gaylor et les autres. Galtier respira à fond. Il avait entre les mains une trentaine de clichés nocturnes, tous centrés autour du héros que devait être alors Gaylor pour le petit Louis. On le voyait, Louis, sur l'un d'eux, qui tenait Gaylor par l'épaule, l'air tellement heureux, les oreilles décollées et une petite barbe de rien. Trente-et-une photos du peintre. Gaylor avec verre, Gaylor de dos, une main tenant sa nuque, Gaylor torse nu avec une cravate, Gaylor discutant, Gaylor debout sur le comptoir et riant, Gaylor dormant sur une table. Et puis autour de lui, les « autres ». Une masse dangereuse d'hommes où se mêlaient les maillots de corps et les smokings. La réponse était au creux de cette masse. En tremblant légèrement, Galtier acheva d'inspecter les cartons de photos et il ne trouva plus rien. Il s'y attendait, Louis avait récemment réuni toutes les photos d'Amérique. Pourquoi ? Souci de classement ou autre chose ? Est-ce que, depuis la menace contre Gaylor, Louis avait essayé de se souvenir encore ?

Depuis quelques instants, Vuillard et Monier s'étaient assis en face de Galtier et le regardaient faire passer d'une main à une autre le paquet de photos.

Galtier leur sourit.

— Bouclé ? demanda-t-il. Tout est en place ? Parfait.

En se levant, la vie lui sembla d'une grande facilité. Pourquoi est-ce qu'on s'en faisait comme cela tout le temps ? Il avait un besoin brutal de musique. Il ne se sentait plus aussi pressé, il avait à présent tout le temps de laisser venir les choses et de profiter, en retenant sa marche, du spectacle des certitudes en formation. D'un côté les photos de Louis, de l'autre les portraits de tous les invités de la soirée Gaylor. Une gigantesque réussite, à qui perd gagne, avec toutes ces têtes d'invités paisibles. Avec de la chance, il réaliserait la rencontre, le raccord, le doublon, la paire accusatrice. C'est étonnant la vie. Une oreille trop longue, un doigt trop court, un menton qui fuit, un grain de beauté sur le front, et vingt ans plus tard, vous êtes foutu. Reconnu. C'est bête. Il rit.

— Qu'est-ce qu'il y a ? demanda Vuillard.

— Au fond ce n'est pas si drôle si tu y réfléchis. On ne peut jamais être en sécurité avec ces yeux, ces nez, ces lèvres. Pas moyen de s'évader. Ni repris ni échangé, une fois pour toutes, modèle unique et pour toujours. On n'y peut rien, c'est sans relâche. Quelle histoire !

— Oui, eh bien ?

— Dire qu'il y a des malheureux qui s'imaginent être à l'abri avec une moustache ou une barbe.

Cette affaire de moustache ramena brusquement dans l'esprit de Galtier l'image de Tom, et sa pensée s'obscurcit aussitôt. Est-ce que celui-là n'avait pas regardé sa moustache avec un air de reproche ? Peut-être que si. Attention. Il ne fallait en aucun cas penser à Soler alors qu'il se trouvait si bien en ce moment. Il fallait interposer n'importe quoi très vite pour précipiter cette image dans les profondeurs de sa mémoire amorphe. N'importe quoi sans réfléchir, du tout venant. Quel était le nom de cet homme qui avait déchiffré les hiéroglyphes ? C'était inouï de ne pas se rappeler cela.

C'était Pygmalion qui l'empêchait de trouver. Est-ce qu'il n'allait pas lui aussi faire apparaître sous ses mains et sous son regard une forme de beauté ? Mais non, cela n'avait rien à voir. Il eut un geste agacé. Cela n'avait absolument rien à voir. Il confondait tout. Il ne s'agissait que d'une enquête, une simple enquête. Mais tout de même, puisqu'il frissonnait maintenant, cela devait bien vouloir dire quelque chose ? Il trouverait, il saurait ce qui lui était caché. Comment Louis avait-il écrit cela ? R.S. et autres. Gaylor et les autres. Et puis lui, Galtier, qui allait savoir.

Il lâcha ses compagnons ; ils voulait déjeuner seul. Cela faisait un tel temps qu'il n'avait pas eu envie comme aujourd'hui de se jeter sur la nourriture. Ensuite il le regretta. Ce ragoût de comptoir avait été infâme et il en avait avalé sans discernement des quantités impossibles. Il avait cru qu'aujourd'hui, rien ne pourrait lui faire du mal. Il regagna son bureau à pas lents, abandonnant derrière lui une partie de son énergie du matin. Mais cette discrète pesanteur était juste ce qu'il fallait pour travailler équitablement sur les quelque trois cents personnages qui allaient à présent défiler sous ses doigts.

Jean-François Champollion. Cela avait tout de même fini par revenir.

13

Il réussit à la perfection le lancer de ses clefs sur la table, et tout aussi bien celui de sa serviette sur le siègle d'angle. Il n'y avait rien à y redire. C'est pourquoi il jeta sa boîte d'allumettes sur le rebord étroit de la fenêtre, à une distance de plus de quatre mètres. Avec un petit bruit délicieux, elle s'y cala avec une précision militaire. Et ça, il n'y avait pas beaucoup de personnes qui pouvaient dire l'avoir fait. Ce rebord de fenêtre était très étroit, et l'opération ne supportait pas la moindre approximation. Un jour très faste, Galtier l'avait réussi de la main gauche. Il préféra ne pas s'y risquer aujourd'hui, estimant qu'il avait assez tiré sur sa chance.

Vuillard avait déposé sur sa table trois cent douze paquets de photos, qu'il répartit comme autant de cartes. Face et profil de chacun des invités. Lequel avait pu participer à la fameuse nuit du *Company* ?

Il étudia d'abord longuement les trente et un clichés trouvés chez Louis. Il y avait des extérieurs qui évoquaient dans leurs cadrages un peu tremblés ces interminables discussions d'ivrognes qui s'achèvent à l'aube sur le trottoir, devant le bar qui a tiré ses grilles. Même alors, avec sa barbe naissante, sa chemise démolie et son regard épuisé, Gaylor gardait une densité admirable et chacune de ses attitudes arrachait l'adhésion. Il y avait dans les allures de cet homme on ne sait quelle grâce géniale qui défiait toute imitation et toute analyse. Il n'était pas possible, même en regardant de très près, de savoir à quoi ça tenait, comment c'était fait. On avait seulement l'impression que malgré sa carrure, il était plus léger que les autres, mais avec des gestes plus lents, comme retenus par des morceaux de plomb à l'extrémité de chacun de ses doigts. Un contraste d'apesanteur et de ralenti. Un peu songeur, Galtier faisait glisser les photos du bout de l'index. C'était une sacrée figure et il le concédait volontiers. Et les photos elle-mêmes étaient remarquables, même si on sentait sur beaucoup que l'œil ivre et le bras engourdi avaient nui à leur netteté. À vingt ans, Louis avait déjà un drôle de talent. Galtier pianota sur la table et alluma une cigarette. Sur l'un des extérieurs, on voyait se refléter dans le trottoir gras, baveuses mais lisibles, les deux dernières lettres de l'enseigne au néon du bar. *NY Le Company*. C'était presque l'aube et on pouvait distinguer le décor intérieur, avec des tabourets fixes, des tables rondes à pied central, des images de chevaux sur les vitres. Galtier reprit les vues d'intérieur. Après un moment il en tenait six attribuables sans l'ombre d'un doute au *Company*. Bien sûr il pouvait s'agir d'une autre affaire que de celle de la nuit du *Company*, mais il chercherait d'abord sur celle-là. Tout de même ce soir-là, ils devaient en tenir une bonne. Qu'est-ce qu'ils avaient bien pu foutre ces deux insensés ? Qui avaient-ils pu provoquer ?

Galtier réétala les six photos en les faisant claquer sur le bois. C'était parmi elles qu'on trouvait Gaylor torse nu et en cravate. La tête d'un homme qui a bu comme un cinglé. Suffit avec Gaylor. Il s'agissait de s'occuper des autres à présent.

On pouvait identifier douze personnes, et encore trois autres, mais coupées à la hauteur des yeux, et une presque de dos. Seize en tout. L'une d'elles était sûrement John Hurst, le patron, et Galtier l'élimina. Une autre était l'inévitable entraîneuse, on la retrouvait sur les genoux de tout le monde, avec l'air de se morfondre. Galtier l'élimina, et aussitôt la rattrapa et la replaça avec les autres. L'entraîneuse était un homme. Pas une femme n'aurait eu des genoux semblables. Un peu plus et je le laissais filer, murmura Galtier. L'apparence est une chose idiote. Il faut que je me méfie.

Détail après détail, Galtier dressa les portraits les plus précis possibles des quinze compagnons de Gaylor. Trois semblaient très riches et ils le montraient. Il y en avait un autre qui incarnait le type rudimentaire du gangster et qui le faisait sourire. En costume rayé, avec une cravate courte et large, un chapeau clair à bande, la pochette, le cigare. Une camelote complète, songea-t-il.

À 6 heures moins 10, il leva la tête, les portes claquaient, le commissariat se vidait. Galtier fuma, renversé sur sa chaise, en attendant que s'écoule la masse agitée de ses collègues. Quand il reconnaissait le pas arythmique de Perrot, il savait que c'était la fin, là où s'accrochent les oiseaux un peu fous qui défont la belle harmonie des formations en v. Ensuite ce serait le silence.

Alors seulement il fit défiler les trois cent douze visages de la soirée Gaylor. Quelle chance avait-il d'en reconnaître un ? Et quelle chance avait-il que cela signifie quelque chose ? Il éjectait au passage tous ceux qui avaient moins de trente-cinq ans, au total cent-trois. Restaient cent-vingt-huit hommes et soixante-et-onze femmes, susceptibles d'avoir connu le *Company* et voulu supprimer Gaylor.

Dans un premier temps, Galtier laissa les femmes de côté, et redisposa les cent-vingt-huit figures masculines. Ça n'allait pas être facile de chercher parmi ces visages vieillis une des têtes originales du bar de Frisco. Pour chacun des invités, il fallait confronter en vis-à-vis les quinze portraits du *Company*. Galtier posa l'opération. Cela faisait mille-neuf-cent-vingt examens, sans la moindre certitude de trouver un collage. À moins que l'homme n'ait été un habitué de chaque soir, il y avait tout de même peu de chance pour que Louis ait fixé sur ses films celui qui allait lui faire le peau plus de vingt ans plus tard.

Quand Galtier frappa du plat de la main sur la table, il était plus de 1 heure du matin. Mais il n'y avait aucun doute. Il avait mis cinq heures à trouver la correspondance entre Frisco et Paris, mais elle ne faisait aucun doute. Toute le reste du visage avait été bousculé par le temps, déplacé, épaissi, mais il était impossible de ne pas reconnaître ces lèvres, surtout la supérieure qui partait en avant et recouvrait un peu celle de dessous, comme une moue enfantine. Les yeux étaient froncés, serrés sur la base du nez, le cou de la même largeur que le maxillaire. Jeune ou vieux, il était laid. Au *Company*, il avait trente-six ans. Il était dans l'angle de la photo, adossé à une colonne, bras croisés. Sa chemise était défaite, un pan tombait sur son pantalon, le nœud papillon était dénoué et coulait le long du col, prêt à tomber. D'une main il tenait un verre vide, le pouce placé à l'intérieur. Un garçon qui devait avoir moins de vingt ans dormait debout sur son épaule, prenant appui comme sur un arbre. L'autre semblait se tenir un peu de côté pour le soutenir. Galtier approcha la photo de la lampe. Sur la cuisse du petit, il y avait une chaîne qui pendait, avec au bout quelque chose qui avait vraiment l'air d'un rasoir à lame courbe. On pourrait vérifier à l'agrandissement, mais Galtier en était déjà certain.

À la soirée de Gaylor, il avait cinquante-huit ans, et il avait gardé cette bouche désagréable, un peu comme celle d'un poisson, et rien d'autre de très remarquable. Galtier se rejeta en arrière et plissa les yeux en attendant que se recompose dans son esprit l'image de cet homme qu'il avait dû interroger comme tous les autres. Il serra les paupières plus fort et les pressa avec ses doigts comme si cela pouvait aider mécaniquement à la révélation du souvenir, à la mise au point de sa netteté. Cela venait doucement. Encore un peu. Près de la fenêtre. Très bien, on y était. Il l'avait interrogé parmi les premiers de la soirée. Ou est-ce que l'homme n'avait pas fait en sorte d'être interrogé tout de suite ? Galtier avait la sensation que ce n'était pas lui qui avait provoqué l'entrevue, mais qu'on la lui avait plutôt imposée. Comment était cet homme ? Il avait paru à l'aise, mais peu souriant et pressé ; le meurtre de Saldon ne l'intéressait pas. Galtier se laissa retomber en avant, et attrapa sa fiche.

Gerald Humphrey West – né en 1927 – Lawrence, Massachusetts. Nationalité américaine – Marié 1960 – Un enfant, né en 1962.

Maintenant, Galtier voyait aussi Mme West. Elle était à la soirée. Un instant, il imagina tristement le visage de l'enfant, et reprit ses notes.

Études : néant – Sans profession jusqu'à vingt-sept ans – Formation de comptable – Embauché dans une entreprise en 1957 – Faillite – À nouveau sans profession – En 1960, épouse E.R. Custon, fille de H.J. Custon, industriel des fours à pétrole. À la

mort de son beau-père en 1963, prend sa succes-
sion à la direction de sa firme, la Texas-United-
Thermotechnics -Inc.

Il commençait à comprendre pourquoi Vuillard
avait pris instinctivement des notes assez détail-
lées sur cet homme. Et la femme ?

Evelyne Rose West, née Custon. 1920, Illinois.
Principale actionnaire de la Texas-United
– ThermoTechnics – Inc., par héritage paternel.

Galtier prit une cigarette. Tout cela me semble
former un pertinent paquet d'horreurs, murmura-
t-il. Un scénario absolument désolant : à bout de
ressources, Gerald West choisit de séduire Evelyn
Rose Custon. Elle a sept ans de plus que lui, et
surtout, elle est dénuée de grâce, moche comme
tout. Et cela, c'était très important. D'habitude,
Galtier se donnait pour règle de ne pas juger
l'apparence de ceux qu'il croisait. Il y a un mois,
il s'était encore empoigné durement avec son collègue Fougeret à cause de cette grosse fille qu'il
massacrait d'insultes pendant l'interrogatoire.
Il avait serré Fougeret au col et il l'avait balancé
contre la porte. Fougeret était un sale type et le
balancer l'avait soulagé. Mais l'histoire avait été
loin, et avait manqué très mal tourner pour lui.
Dans ce cas précis pourtant, il était indispensable
de dire que Mme West était moche comme tout.
L'expression inoffensive, c'était tout ce qu'on pouvait trouver à dire pour elle. Ce n'était pas très difficile d'imaginer comment tout avait dû se passer,
cela avait dû être pathétique à force de banalité.

Galtier se leva et récita à voix basse. La femme parvient à quarante ans, elle a perdu tout espoir de faire une fin. Dieu, quelle expression ! Quand soudain, éclair dans les ténèbres, Gerald apparaît qui se consume à ses pieds. Bien. Ce spectacle affreux lui noue le ventre et embrase son esprit. Bien. Evelyn Rose, qui connaît la minceur de son charme et l'importance de son capital, reste digne et tient la distance. Premier temps, elle éprouve la résistance de l'homme dont les flammes de l'amour ravagent terriblement les entrailles. Deuxième temps, la fatalité est là qui veille. Un jour, elle le regarde, elle est vaincue, c'est lui, c'est elle, etc. C'est une imbécile, elle l'épouse. Pire, elle a un enfant, le pacte est scellé. Lui, bien sûr, travaille dur dans la firme de son beau-père. Et puis tout à coup c'est le miracle. Le patron meurt. Joie. La fille hérite de la majorité des parts et installe Gerald à la tête de la Texas United. C'est un moment d'une grande beauté.

Galtier alluma une nouvelle cigarette et continua en tournant dans la pièce : mais voilà, il reste toujours un petit fond de méfiance qui résiste, même dans la plus généreuse des âmes. C'est ainsi que Mme West ne partage pas son paquet d'actions. Non. Elle le protège, elle le couve. Tout est à elle, l'argent, la firme, l'époux. Et que Gerald vienne à lui manquer de respect, à lui déplaire, qu'il vienne à n'importe quoi, elle le défait d'une parole, elle le range aux accessoires. Gerald n'est rien.

Galtier ferma les yeux et tenta de se rappeler si Mme West avait tout compte fait l'air aussi inoffensif que cela.

Au pire, reprit-il, Gerald a fait descendre son beau-père en 1963, soit qu'il l'ait fait lui-même, soit qu'il en ait chargé un petit tueur. Ou un grand tueur, ou un gros, peu importe, pourquoi faut-il toujours que les tueurs soient petits ?

La chose s'ébruite dans le milieu. Ou si elle ne s'ébruite pas, elle transpire, elle sue, elle se respire, elle se devine. Bien. Les anciens amis de West ne peuvent manquer de sourire à voir cet ancien minable à la tête de la Texas United. Surtout pour cause de mort de son beau-père. Le coup semble trop beau, bon à exploiter, il y a quelque chose à faire avec. En 63, on en parle la nuit dans les bars. Mais West est fort, et continue à s'imposer dans le milieu. Personne n'ose vraiment. Alors ? Qu'est-ce que Gaylor et Louis ont pu lui dire, publiquement, dans l'inconscience démente d'un soir de beuverie ? Galtier imagina la voix sourde et lente de Gaylor accuser l'homme, marteler des menaces, des insultes. On les saisit, on les cogne, mais Hurst appelle à l'aide. On les signe d'un coup de rasoir sur les bras, pour qu'ils se souviennent, et ce sera pour la prochaine fois. Il n'était d'ailleurs sûrement pas question de finir le travail ce soir-là devant tout un parterre de témoins. C'était pour plus tard. Mais Gaylor et Louis s'échappent. West ne les craint pas, mais il a une humiliation à faire payer, tôt ou tard. Ou bien alors, une rumeur renaît depuis quelque temps, et West se souvient des menaces du peintre. À voir.

Ou bien c'est beaucoup plus simple. West n'a pas tué son beau-père. Simplement il n'entend pas risquer sa situation. Et Louis a pu faire d'autres photos, et bien plus compromettantes encore. West les réclame-t-il ? Est-ce que Louis refuse ? Est-ce qu'il en demande de l'argent ? Et Gaylor ? Est-ce qu'il sait quelque chose du patron des fours à pétrole ? Quel intérêt aurait-il eu à faire chanter West, si longtemps après ? Sûrement pas l'argent. On peut imaginer que Louis a cherché à jouer un coup tout seul en apprenant l'arrivée de l'Américain à Paris. Bien sûr c'est possible. Il y a un air de vérité là-dedans, mais d'où vient-il au juste ? Galtier passa sa main sur sa joue, longuement. Toujours l'Américain à Paris. Tout vient de lui. Tout retourne à lui. Il donnera lui-même les détails. Il suffit de le mettre à terre.

Le plus dur était fait. Il rassembla rapidement les clichés. L'homme était encore au *Crillon* pour une semaine. Il le convoquerait ici, dans ce bureau où il ne pourrait se raccrocher à rien. Il n'y avait que Soler pour s'y trouver bien.

Cela recommençait. La seule pensée de Soler lui embuait le front, lui tendait les muscles. Dire que Soler l'avait vu, dire qu'il avait vu sa lassitude, la lassitude de l'inspecteur dans l'obscurité, la lassitude répandue, comme celle d'une fille, d'un égaré. Ce n'était pas tolérable. Et au lieu de s'effacer comme n'importe qui l'aurait fait, il s'était installé, tout simplement installé, et il était resté là une heure. Galtier se souvenait avoir dormi, et bougé, et joué avec ses doigts dans ses cheveux. Maintenant il avait les mains moites et il ne le pardonnerait jamais à Soler.

Finalement il ne convoquerait pas West ici. Il irait plutôt le saisir dans sa chambre, avec tout l'avantage classique mais efficace de la surprise. L'homme n'aurait pas le temps de se débattre.

Très tôt, Galtier était à nouveau à son bureau. Souvent, quatre ou cinq heures de sommeil pouvaient lui suffire. Les factionnaires de l'avenue de l'Observatoire avaient déposé leur rapport et Galtier le parcourut en fronçant les sourcils : *3 h 35 – Perçu l'éclair d'un flash, assez loin du côté nord de l'immeuble et le bruit d'une course. N'avons pu rattraper l'homme, il avait trop d'avance. L'avons perdu au carrefour de l'Observatoire. Silhouette petite, course très rapide, vêtu probablement d'un blouson. Pour le reste, veille normale jusqu'à 5 heures. Relève.*

Qu'est-ce que c'était encore ? Un journaliste besogneux ou quelque chose de plus grave ?

Il passerait à l'Observatoire avant de se rendre au *Crillon*. Il laissa une note à Vuillard, qui lui fixait rendez-vous à 10 heures place de la Concorde. Il glissa la photo de West au bar du *Company* dans la poche de son pantalon, il pourrait la sentir en marchant.

L'homme de garde repéra de loin la silhouette de Galtier et surtout sa manière de s'avancer, le torse légèrement basculé en avant, et le visage levé. Il siffla son collègue qui à l'autre bout de la rue redressa son allure. Il sentait ses traits brouillés par la somnolence, et redoutait que Galtier ne le détecte aussitôt. Mais Galtier les salua et ne dit rien là-dessus.

— Vous avez lu le rapport pour cette nuit ? demanda Morin. Ils n'ont vraiment rien pu faire. Le type s'est défilé à toute allure. Il aurait été impossible de le rattraper. Ils l'ont perdu du côté de la rue St-Jacques.

— Bien sûr, dit Galtier, qui passa les pouces dans sa ceinture, posant une main au contact de la photo, et leva les yeux vers les fenêtres de l'appartement. Est-ce que ça a bougé là-dedans ?

— Non inspecteur. Plat comme la main. On n'a rien vu.

Galtier saisit violemment l'épaule du factionnaire et le retourna d'un coup brutal vers le parc.

— Et ça, Morin, ça là-bas, ce n'est rien peut-être ?

Morin se tordait pour desserrer les doigts de Galtier et suivit la direction de son regard. Sur un banc, sur le dossier d'un banc, il y avait un homme qui avait l'air d'écrire, mais il était si loin derrière les arbres qu'on ne pouvait rien en dire de mieux.

— Et alors ? Nous ne sommes pas censés arrêter tous les promeneurs du Luxembourg tout de même ! Lâchez moi, bon dieu ! Vous me faites mal !

Vous ne voyez pas à la fin que vous me déboîtez l'os de l'épaule ?

— La clavicule, Morin, la clavicule, cela s'appelle. Et ton promeneur du Luxembourg, cela s'appelle Thomas Soler, artiste peintre, suspect dans l'affaire du meurtre de l'avenue de l'Observatoire, et qui n'a rien à foutre ici ! L'os de l'épaule, le promeneur, tout a un nom, Morin, et tout a un sens.

Galtier n'avait pas élevé la voix mais Morin était en sueur. Ce timbre bas, doux, lui fit plus de mal qu'un coup de pied au ventre. Il se dégagea, il avait quarante-sept ans, il ne se laisserait pas faire.

— Soler n'est plus suspect, inspecteur. Et de toute manière, je ne pouvais pas le reconnaître. Je ne l'ai croisé que deux fois au commissariat. Même maintenant je ne le reconnais pas.

— Tu n'as pas d'yeux, c'est tout. C'est pour tout le monde pareil. On est tellement persuadé d'en avoir qu'on ne songe pas à s'en servir. Mais ne t'en fais pas, il y a pire. Désolé pour la clavicule. Ce soir on lèvera la garde. Gaylor en a sa claque de cette publicité. Il dit que cela ne sert à rien et je suis près de le croire. Il ne se passera rien tant qu'on surveillera l'endroit. On se replie. Vos collègues sont au courant.

Galtier n'avait pas quitté Soler du regard.

— Vous n'êtes pas armé, intervint Jean qui s'était rapproché. Vous voulez mon flingue ?

— Pas de ça. Le type n'est pas dangereux. Enfin, pas de la manière courante.

— Ah.

— Va reprendre ton poste. Je vous verrai plus tard.

Il tira sur sa lèvre avec ses dents et se dirigea lentement vers le banc derrière les arbres. Morin se frottait doucement l'épaule.

— Il m'a presque bousillé la clavicule ce con, dit-il à Jean. On m'avait déjà parlé de ce coup-là, mais bon dieu qu'est-ce qu'il a dans les doigts ?

Comme Jean ne répondait pas, il secoua la tête et dit qu'il n'avait jamais su quoi penser sur l'Inspecteur Galtier.

Tom avait à peine levé les yeux en entendant un bruit de pas et il avait continué son travail sans témoigner du moindre intérêt pour le passant qui s'approchait. Galtier était certain que Soler l'avait reconnu, parce que Soler savait parfaitement quoi faire de ses yeux. Il aurait fait un magnifique factionnaire.

Sans un mot, Galtier s'assit sur le dossier du banc, cala ses pieds sur le siège et alluma une cigarette. Tom dessinait sur un grand bloc posé sur ses genoux. Il était habillé de noir. Galtier ne put s'empêcher de surveiller un moment le déplacement du crayon qui rendait un bruit onctueux presque imperceptible dans le silence du jardin. De côté, Galtier apercevait sur la feuille quelque chose de talentueux, avec les voûtes contreplongées d'une espèce de théâtre baroque, une nuée d'oiseaux assez sinistres, et dans un angle trois sortes d'anges aux visages levés.

On ne pouvait pas dire que Tom boudait, on ne pouvait pas dire non plus qu'il était ailleurs. Simplement, il ne s'intéressait pas à l'Inspecteur Galtier.

Galtier écrasa sa cigarette.

— On se connaît je crois ? demanda-t-il.

— Il me semble, dit Tom sans se détourner de son dessin.

— C'est amusant, l'existence, reprit Galtier. Les coïncidences, les hasards. Car enfin Paris est si grand et il faut que nous nous rencontrions dans ce jardin. C'est étonnant tout de même.

— « Paris est tout petit pour ceux qui s'aiment comme nous d'un aussi grand amour. »

— D'où sors-tu cela ?

— Culture classique. Si vous ne connaissez pas tant pis pour vous. Je n'y puis rien.

— Fort bien. Donc quand tu viens dessiner, tu viens toujours dans ce jardin bien sûr. Et très tôt le matin, dès 7 heures. C'est ton petit coin chéri, ton habitude secrète ?

— Pas du tout. Je n'y viens jamais et vous le savez. D'ailleurs, je n'aime pas tellement les jardins.

— Alors ?

— Alors en ce moment il faut que je sois là, c'est tout.

— Là, tout près de l'appartement de Gaylor, dès l'aube et bien camouflé derrière les arbres.

— Voilà. C'est exactement cela.

— Je peux savoir ?

— Je suppose que c'est un ordre ?

— Sans aucun doute.

— Je me planque pour ne pas me faire repérer de vos hommes et que vous ne me tombiez pas dessus une fois de plus. Je n'avais pas prévu que vous passeriez vous-même ce matin. Entre nous, ils ne sont pas très forts vos vigiles. Belle vigilance, vraiment ! Je pourrais tout aussi bien m'installer sur le trottoir. Hier, j'ai été tranquille toute la journée. À se demander ce qu'ils ont dans les yeux.

— Ce n'est pas ton affaire. Continue.

— Je le sais bien que je dois continuer. Ce n'est pas la peine de dire « continue, Soler » toutes les six secondes. Je n'ai même pas le temps de finir mes phrases. C'est fatigant à la longue. Donc je viens m'embusquer ici pour trois raisons, que je vais me faire une joie de vous exposer de manière claire quoique concise. Un, je ne peux plus vivre chez moi. Depuis la mort de Louis, je n'y tiens plus en place. Il me faut du vent. Deux, j'exerce à titre personnel ma propre surveillance. Je fais l'ange gardien, si vous préférez. Et je fais bien parce que vos plantons entre nous, bien, on l'a déjà dit, ce n'est pas la peine d'y revenir. Il n'en reste pas moins que s'il y a quelque chose à surprendre, c'est moi qui le verrai, cela ne fait aucun doute.

— Trois ?

— J'y viens. Trois, imaginez-vous que cela m'inspire de venir ici. Oui, cela m'exalte, cela me donne du courage, des idées, de l'ambition, de la prétention même.

— Il faut que je me contente de cette explication ?

— Absolument. Et vous n'avez aucun droit à m'interdire ce banc plutôt qu'un autre. Maintenant, si vous le permettez...

Et Tom se remit au visage de l'ange de gauche.

Galtier serra ses mains sur ses genoux.

— On est très fort ce matin ? Très détaché, très à l'aise, très content de soi ?

— Voyons..., ni plus ni moins que les autres jours, répondit Tom d'une voix molle. Si pourtant, un peu plus détaché, et un peu moins à l'aise, c'est vrai. Cependant, à présent que j'ai satisfait votre légitime inquiétude professionnelle, j'aimerais assez que vous me rendiez mon banc. J'ai besoin du banc entier pour travailler.

— Ah parfait ! ricana Galtier. On ne me « tient plus compagnie » aujourd'hui ?

— Exact, coupa Tom.

Frémissant, Galtier chercha une nouvelle cigarette. Il n'avait rien à faire ici, il allait se lever. Il allait partir, évacuer Soler, se rendre au *Crillon*. Il n'avait plus rien à faire avec cet orgueilleux crétin. Il regarda sa montre et se donna cinq minutes. Simplement cinq minutes encore pour que Soler avale la poussière.

— Vous pouvez aller maintenant, dit Tom. Ne vous faites pas de bile, je veille, ajouta-t-il en souriant et en désignant du menton l'appartement de l'autre côté des arbres.

— Tu es très impatient d'être seul. Tu attends quelqu'un ?

— Mais oui, dit Tom. Figurez-vous que j'attends mon complice. Il a une casquette rabattue sur les yeux et des gants de cuir. Impressionnant, non ? On a rendez-vous dans cet endroit discret, où personne ne viendrait nous chercher, pour organiser la liquidation définitive de Gaylor. Vous ne pouvez pas l'avoir vu à la soirée, il était déguisé en glaïeul. C'est un garçon plein de ressources et très amusant. Alors vous comprenez, votre présence, ici, c'est gênant bien sûr. Inattendu et déroutant.

Tom rit brusquement et redevint sérieux. Il vit que Galtier n'avait pas du tout envie de rire.

— Non, reprit-il, ce n'est pas ça. Je voudrais que vous vous en alliez bien sûr, mais je n'attends personne, je suis seul.

Tom posa avec précaution son bloc sur le banc et se déplaça un peu de côté pour faire face à Galtier.

— Non, dit-il. Je ne vous tiens plus compagnie parce que vous m'êtes égal. Voilà. Maintenant vous m'êtes égal. Avant-hier encore, vous m'intriguiez, mais aujourd'hui vous ne m'intéressez plus. Qu'est-ce qu'on peut dire de plus ?

— Va jusqu'au bout maintenant ! hacha Galtier.

Il regardait droit devant lui et il n'avait pas à écouter ce type. Il devrait aller travailler. Il ne devait pas l'écouter. Un flingue ! Jean qui voulait lui passer un flingue ! Mais qu'est-ce qu'il en aurait fait contre ça ?

— Pardonnez-moi, reprit Tom. Ce n'est pas agréable, mais c'est ainsi pourtant. Votre infaillibilité me fatigue, me lasse. Quand on vous voit, on s'imagine des tas de choses passionnantes, et puis on est déçu. C'est du vol, de l'escroquerie. Une insulte à votre visage. Non, non, attendez, je n'ai pas terminé. Vous souhaitez être distant et indéformable – très bien, vous l'êtes. Indifférence complète, raideur glaçante, défiance inexpugnable. Il n'y a rien à dire, c'est parfait. J'admire. Aucune chance pour personne d'espérer un jour vous connaître. Constitution métallique et parcours sans faute, c'est superbe et tout à fait infranchissable. Bien entendu, l'esprit s'emmerde un peu, il s'engourdit peut-être, il se durcit sans doute. Mais qu'importe, ce n'est pas tellement grave. Voilà un homme que nul n'approche ni n'entame, un homme qu'on respecte. Pas comme Soler, bien sûr, qui a déjà pleuré deux fois devant l'inspecteur principal. Quelle rigolade ! Qu'est-ce que c'est que ce type qui ne sait pas se tenir ? Il n'a pas d'honneur, Soler est un imbécile.

— C'est vrai, dit Galtier. C'est vrai que tu es un imbécile. Et c'est vrai que tu ne sais pas te tenir. Tu peux garder ton discours. J'imagine la suite de bout en bout et c'est le genre de chose qui ne m'a jamais intéressé. Ce qui me regarde, moi, c'est ce que tu te tires de là. Si je te retrouve collé sur ce banc ce soir, je ferai en sorte que ça se termine mal pour toi.

Tom haussa les épaules, ramassa son bloc et tira son crayon de sa poche arrière.

— Comme vous voudrez, dit-il. Vous êtes éreintant, c'est bien ce que je disais. Cela ne me regarde pas, c'est vrai, mais est-ce que quelqu'un peut savoir ce qui me regarde ou pas ? De toute façon, tout me regarde, cria-t-il.

Galtier était déjà parti. Tom suivit des yeux sa démarche régulière, son torse trop long, cassé vers l'avant. Ça va saigner, pensa-t-il. Ce n'est pas ainsi que j'améliorerai mon cas avec la police. Qu'est-ce que ça pouvait bien me faire après tout ? Il n'a qu'à crever tout seul, je m'en fous, il est incurable. Et cela va me rapporter quoi ? Pas même la satisfaction de l'avoir fait ciller. C'est un inamovible et c'est trop fort pour toi, c'est tout. Maintenant il va en profiter. Amène-toi Soler. Continue Soler. Coupe ça. Tire-toi. Ça ne finira jamais. Tom pensa qu'un anaconda, ce n'était pas grand-chose à côté d'un type comme ça. On fait tout une histoire des anacondas, mais finalement, ils se laissent faire bien mieux. Il appointa son crayon et siffla un air. L'ennemi ne reviendrait pas tout de suite. L'ennemi avait à faire ailleurs.

14

En pressant le pas, Galtier arriva avec plus de vingt minutes de retard au *Crillon*. Vuillard ne lui demanda aucune explication, et de toute manière, ce n'était pas le moment pour parler de choses et d'autres. Vuillard commençait à s'inquiéter sérieusement pour Galtier.

— Le type est chez lui ?

— Je ne sais pas, dit Vuillard. J'ai préféré vous attendre.

Galtier entraîna son collègue à l'intérieur. Vuillard n'avait jamais pénétré au *Crillon*, et n'avait pas l'air à son aise.

— Quatrième étage. Suite 406. J'ai demandé au réceptionniste qu'on ne nous annonce pas. Vuillard tu ne dis rien surtout, tu me laisses faire d'un bout à l'autre.

Ils attendirent plusieurs minutes à la porte sans qu'on leur ouvre. On entendait du bruit et Galtier insista. Puis, en américain, il y eut une succession d'insultes, et Galtier dit en souriant durement : ça vient.

L'homme qui s'apprêtait à éjecter le détritus de valet d'hôtel qui frappait sans déférence à sa porte retint son geste et modifia son expression. Galtier le laissa les regarder sans rien dire.

— Oui, dit l'homme. Je vois qui vous êtes. C'est vous qui avez mené l'enquête après la réception chez Gaylor, c'est cela n'est-ce pas ? Vous êtes les flics de l'autre soir ?

Galtier apprécia. C'était déjà un bon point. Pour qu'il les reconnaisse tous les deux aussi vite, il avait fallu que l'interrogatoire le concerne plus qu'il ne l'avait laissé paraître.

— Et alors ? reprit l'homme. Comment se fait-il que je vous trouve ici ? Il y a du neuf ? Et je vous en supplie inspecteur, ne me répondez surtout pas « les questions ici c'est moi qui les pose ». J'ai le droit de savoir ce qui me vaut cette visite.

« Paris est tout petit pour ceux qui s'aiment comme nous d'un aussi grand amour », pensa Galtier. Voilà, il savait à présent d'où venait cette phrase. Il regarda l'homme. Bien lui, c'était bien lui.

— Pouvons-nous entrer ? Où pouvons-nous nous installer ?

West les précéda dans le salon. Galtier prenait son temps et goûtait en esthète la contraction croissante de celui qu'il saisirait tout à l'heure par l'os de l'épaule.

— Est-ce que nous serons tranquilles ici ? questionna Galtier avant de s'asseoir, et il remarqua que West était vulgaire.

— Bien sûr. Il n'y a que ma femme et elle est à la salle d'eau. Ce qui nous garantit deux grandes heures de paix absolue. Je vous écoute. Et je vous en prie, soyez rapides, j'ai tellement de choses autrement plus intéressantes à faire.

— C'est aussi mon intention d'être rapide. Vous parlez très bien français, monsieur West.

— Ma gouvernante l'était. Est-ce cela qui vous intrigue ?

— Non. Faut-il revenir sur vos déclarations lors du premier interrogatoire, ou bien les maintenez-vous ?

— Je ne vois aucune raison de me dédire, inspecteur. Je suis toujours né à Lawrence en 1927.

— Ce soir-là, je vous ai demandé, à vous comme à tout le monde, si vous connaissiez Saldon. Vous avez dit que non. Peu m'importe à présent de le vérifier. Ce n'est en effet pas Saldon qu'on a cherché à tuer, c'est le peintre lui-même. R.S. Gaylor. Il y a eu erreur de meurtre.

— Ah tiens, c'est curieux ! Des gaffes comme celle-là, ça n'arrive pas tous les jours !

— En effet. Mais ce n'est pas une plaisanterie dont on peut rire, monsieur West. Vous avez bien connu Gaylor n'est-ce pas ?

— Non, pas exactement bien. Je ne l'ai fréquenté que durant les quelques mois qui ont précédé son départ. J'étais devenu riche et j'espérais placer dans la peinture. Comme je n'y connaissais rien, je me suis d'abord lié avec des marchands, et ce sont eux qui m'ont fait rencontrer Gaylor. Par la suite, nous avons été à beaucoup de grandes soirées ensemble. Mais il est parti trop tôt pour que j'aie le temps de conclure des marchés sérieux avec lui. Puis, l'envie m'a passé.

— Soyons précis. C'était en 1963.

— C'est cela, sûrement.

— À cette époque, vous savez mieux que moi que Gaylor fuyait ses anciens cercles mondains pour des activités plus occultes.

— Ce qui veut dire ?

— Que vous ne dites pas la vérité.

— Vraiment ?

— J'en suis navré. C'est dans les bars de Frisco que vous avez connu Gaylor.

West ne répondit pas et Galtier se leva. Il tira de sa poche la photo du *Company* qu'il fit glisser sur la table sans lâcher West du regard.

— C'est le jeune Louis qui l'a prise, il y a vingt-deux ans. Louis Vernon, qui a été assassiné cette semaine. Vous y portez une étrange tenue de grande soirée. Et pour le tout nouveau directeur de la Texas United que vous étiez alors, c'est même assez embêtant.

West resta un moment silencieux et accentua sa moue naturelle. Il fit un mouvement vers la photo.

— Vous aurez tout de suite compris, intervint Galtier, qu'il serait désastreux pour vous de tenter d'abîmer ce cliché. J'en ai conservé des doubles, bien entendu.

— Inspecteur, dit enfin West d'une voix lourde, vous m'accordez de curieuses pensées. Jamais je n'aurais la force de détruire un de mes portraits. Jamais. Quelle idée ! Et puis dites-moi, elle est amusante cette photo.

West la regarda d'un air complice puis s'éventa avec un moment. Il se leva pesamment, parce qu'il était gros, fit le tour de son fauteuil, s'accouda à son dossier, et sans quitter le visage de Galtier, appela.

— Evelyn, viens ici un instant. Je crois que monsieur l'inspecteur souhaite te soumettre quelque chose. Mais si, viens, tu verras c'est très distrayant, tu vas rire. Et l'inspecteur Galtier va rire aussi, ajouta-t-il d'un ton plus bas.

Mme West accourait en peignoir de bain et Galtier se sentit très mal à l'aise, avec la sensation d'un mauvais coup à venir. À peine habillée, Mme West n'avait pas l'air autrement troublée tant l'idée de plaire à Gérald semblait la préoccuper entièrement.

Galtier ferma les yeux à demi et lui trouva l'air encore plus stupide que la première fois qu'il l'avait vue. Elle prit place avec bruit dans un fauteuil et attendit que son mari dispose d'elle, sans même un signe pour les deux policiers.

— Vois-tu ma chère Evelyn, l'inspecteur Galtier s'est déplacé jusqu'ici, très aimablement, pour te raconter une petite histoire. Arrêtez-moi si je me trompe. Mais comme je connais déjà cette histoire, il ne voit aucun inconvénient à ce que je te la raconte moi-même. Ainsi gagnerons-nous du temps. Cela n'a pas l'air de vous faire plaisir inspecteur ? Ah tant pis. Figure-toi Evelyn, que la police s'est mis dans la tête que j'ai cherché à assassiner notre ami Gaylor l'autre soir. Hélas, en raison de ma myopie – oui, inspecteur, car je suis myope en plus, est-ce que cela n'est pas sensationnel ? –, j'ai commis une navrante erreur d'appréciation et j'ai liquidé un pauvre type dont personne n'avait rien à faire. C'est bête. Et tout cela pourquoi ? Mais pour la seule raison que si cette vieille photo accablante, et quelques autres sûrement, était parvenue entre tes mains justicières, il ne me restait plus qu'à serrer chemise et pantalon dans un torchon, planter le tout au bout d'un bâton, et reprendre ma route de dépravé solitaire et de coureur de dot. J'oubliais : depuis cette soirée, un autre homme est mort assassiné, le photographe précisément, et par mes soins naturellement, et pour les mêmes motifs. Qu'en dis-tu, ma riche, vengeresse et respectable épouse ?

Mme West s'agita pour se donner le temps sans doute d'analyser cette longue suite de mots, et Gerald lui tendit le cliché avec un sourire.

— Gerald mais c'est toi ! dit-elle. Comme tu es réussi là-dessus, n'est-ce pas que tu es bien ?

— Certainement, dit Gerald.

— Est-ce que ce n'est pas le petit James à côté, sur ton épaule ? Non je ne crois pas. En tout cas il lui ressemble. Mais enfin inspecteur – et elle eut l'air brusquement de comprendre de quoi il était question –, j'espère que vous n'avez pas l'intention d'embêter Gerald avec ces vieilles histoires ? Si ? Un homme a le droit de se distraire quand il est jeune tout de même ! Et je préfère vous le dire tout de suite, ce n'est peut-être pas la coutume en France, mais j'ai toujours voulu laisser Gerald s'amuser comme il l'entendait. N'est-ce pas, Gerald ? Et sans me mêler de ses affaires. Gerald n'était plus un jeune homme quand nous nous sommes mariés, il avait des tas d'anciens amis auxquels il tenait. Et je lui ai toujours dit que la seule chose qui m'importait, c'était qu'il ne les amène pas à la maison, n'est-ce pas Gerald, que c'est ce que j'ai toujours dit ? D'ailleurs tu t'es bien vite lassé de tout cela, c'est ce que j'avais toujours dit aussi. Et vraiment inspecteur, je ne comprends pas en quoi vous pouvez vous sentir concerné. Vos insinuations sont très déplaisantes. Très.

— Ainsi, dit Galtier qui fit craquer ses doigts, vous n'ignorez rien des milieux insalubres où évoluait Mr West, trois ans encore après vore mariage ?

— Mon Dieu non, dit-elle. Les hommes sont ainsi fabriqués, on ne peut les contraindre à la sagesse. Gerald est un nerveux, il fallait qu'il se dépense. La vie chez nous, vous comprenez, est plutôt sévère. Il n'y était pas habitué. Et pour ma part, j'ai...

— Ça suffit Evelyn, coupa Gerald. Tu peux retourner dans ton bain. Je crois qu'à présent, l'inspecteur est soulagé. Cela lui faisait peine de risquer de briser la sérénité d'un ménage. C'est ainsi que vous dites, non ? Un « ménage » ?

Mme West se levait.

— Un instant madame je vous prie, dit Galtier. Il y a plus grave. Et puisqu'ici tout semble se régler en famille, j'aimerais que vous nous teniez compagnie encore un moment. (Docile, Mme West se rassit et sourit à Gerald.) Oui, il y a beaucoup plus grave. Le 3 octobre 1963, votre père décède, libérant opportunément son siège à la Texas United pour votre époux. Le 10 octobre, dans un bar pourri où Mr West a ses habitudes, le *Company*, R.S. Gaylor et un jeune ami français commettent une imprudence telle qu'on les retrouve cisaillés. Peut-être avec ce rasoir qui pend à la ceinture du jeune compagnon de votre mari, celui qui ressemble à James, et qui dort sur son épaule. Menacés gravement, Gaylor et son ami Louis fuient l'Amérique. Vingt-deux ans plus tard, on cherche à tuer le peintre au cours d'une soirée où quantité d'indésirables peuvent se glisser. Quelques jours plus tard, Louis se fait assassiner. Tout cela dans la semaine où vous avez l'idée d'un voyage d'agrément en France. Qui a décidé ce voyage ?

— Moi, dit Gerald en riant.

— Qu'étiez-vous venu faire ici ?

— Goûter votre cuisine, délicieuse d'ailleurs. La réputation de ce pays sur ce point n'est pas surfaite, c'est déjà quelque chose. Mais quant à sa police, je suis très désappointé.

— Parlez-moi plutôt de la mort de M. Custon père.

— Vous êtes lamentable, lâcha West. Tout à fait lamentable. Je ne peux même pas vous faire l'offense de croire que vous avez imaginé cette histoire tout seul. Non, vous l'aurez lue quelque part, copiée dans un livre. Evelyn je t'en prie, explique-lui la mort de Pope.

— Il pense que tu l'as tué ?

— Bien sûr qu'il le pense. Ce serait très naturel. Chez nous, c'est monnaie courante.

— Lorsque Pope est mort, enfin lorsque mon père est mort, il vivait depuis deux ans en Floride avec ma mère. Il avait décidé depuis mon mariage de se donner un peu de repos, et il avait quitté Frisco. Les hommes sont comme ça. De là-bas, il réalisait les opérations vitales de l'entreprise mais pour le reste, il avait délégué ses responsabilités à son vieil associé Graham. Il a attrapé du mal en voulant prendre un bain de minuit sous la pluie, après quelques verres de trop. Mame voulait le raisonner mais il n'y avait rien à faire. Ils sont partis à plusieurs, et il s'est évanoui dans l'eau. Mame pourrait vous le raconter, elle les accompagnait. On l'a transporté à Miami, mais il est mort le lendemain.

— Ça va Evelyn, c'est bien. N'en parle pas trop, tu sais combien cela te déchire. Voulez-vous un cigare inspecteur ? Non ? C'est encore trop tôt bien sûr. Ah si vous aviez fréquenté Frisco en 1963, vous apprécieriez autrement. Et au passage vous auriez appris utilement que tous les Américains ne bâtissent pas nécessairement leurs nids sur un tas de cadavres, qu'ils ne chaussent pas nécessairement des guêtres blanches à boutons noirs, qu'ils ne crachent pas nécessairement par terre et ainsi de suite. Et si je voulais en outre être très français, je vous poursuivrais pour diffamation, mais j'ai bien d'autres choses à faire qu'à me soucier de vous.

En tordant ses lèvres, West tira de sa poche un long rasoir courbe et en éjecta la lame. Souvenir, souvenir, chuchota-t-il, en se nettoyant les ongles d'un geste précis.

— Range-le, tu vas te faire mal, dit Evelyn en frissonnant.

— Garde donc ta sollicitude pour l'inspecteur, dit West. C'est lui qui va se faire mal.

Vuillard risqua un regard vers Galtier. La journée, la semaine entière sans doute, allaient être atroces. Il n'osait même plus ciller ni respirer ni rien faire qui puisse signaler matériellement sa présence. Il voyait très bien sur le visage de Galtier que les muscles des mâchoires tremblaient par secousses. Il dit : va m'attendre dehors.

Vuillard fila comme un lézard qui va retrouver la chaleur. Galtier attendit que la porte claque et que Evelyn disparaisse dans la salle d'eau pour arracher son regard du sol et le lever vers West.

Cela lui fit vraiment du mal de relever les paupières, comme si on les lui avait attachées.

— C'est bien, dit-il enfin. J'ai manqué, je le sais, à toutes les règles élémentaires de l'enquête. Je vous prie de m'excuser et je vous demande de l'oublier. Vous jubilez et vous en avez le droit. Je ne peux rien faire contre ça.

— Je vais vous aider inspecteur. Ramassez votre photo. Servez-vous en pour caler votre bureau. Personne n'est hors d'atteinte des assauts de la stupidité, ni vous ni moi, une sorte d'arriéré à payer régulièrement. Evelyn vous dirait : faut que ça se fasse.

West lança son rasoir et le rattrapa au vol. Et sans regarder Galtier, il lui tendit la main de côté.

Vuillard attendait en bas de l'hôtel. Il regarderait la circulation autour de l'obélisque le plus longtemps qu'il le pourrait. Il entendit les pas de Galtier derrière lui, il ne se retourna pas, et ils se séparèrent avec un signe le plus vite possible.

Galtier ne se sentait pas capable de retourner maintenant au bureau. S'il y allait, il rencontrerait des gens, il crierait, il serait inabordable. Il n'aurait pas le courage d'être doux et d'être poli. De la Concorde, il gagna à pied le Luxembourg, et s'installa près du bassin sur une chaise en fer brûlante. Il resta comme ça, la pensée morte, enrayée. Cerveau à faire entièrement réviser, murmura-t-il. Tout est foutu, tout est à refaire. Plus rien ne marche, il faut tout démonter, tout foutre en l'air. Des tonnes de pièces à changer. Il ferma les yeux et chercha à ce que ses paupières demeurent complètement fixes. Le mieux serait de s'endormir là, cela le laverait.

Mais qu'est-ce qui lui avait pris ? Qu'est-ce qui avait bien pu le précipiter dans cette vase ? D'habitude il était tellement avisé, tellement juste. Et cette fois, il avait été s'ensevelir avec détermination, avec foi, avec bonheur. Quelques minutes encore avant qu'il ne comprenne qu'il perdait pied, il était fiévreux de certitude. Il n'avait fait que des mouvements rapides, incontrôlés, et cela n'avait fait que l'enfoncer encore plus vite dans son trou. Il fallait espérer que Vuillard reste discret. Chance encore que West ne cherche pas à le poursuivre en justice pour préjudice moral. Il en avait le droit et Galtier à sa place n'aurait pas laissé passer l'occasion. Il avait accusé et insulté sans la moindre preuve et maintenant il avait honte. Il s'était couvert de ridicule sur toute la ligne, au point d'en être asphyxié. « Ne dis rien Vuillard, surtout tu me laisses faire. » Quelle farce ! Mais nom de Dieu qu'est-ce qui lui était passé par la tête ? C'est depuis qu'il avait trouvé ces sales photos chez Louis. Le hasard est une vraie vacherie. Il suffit que deux hasards se rangent un jour l'un à côté de l'autre pour qu'on s'imagine qu'ils indiquent la vérité. Trois, c'est encore pire. Plus question de coïncidence, c'est le Destin, le doigt de Dieu. Le doigt de Dieu dans l'œil de l'inspecteur, compléta Galtier avec un demi sourire. Foutaises.

D'habitude il ne se serait pas précipité comme un buffle enragé. Galtier sentait ses mâchoires trembler. Il fallait qu'il les détende et qu'il ferme les yeux. Entraîné par une chaîne d'images flottantes et grotesques, il s'endormit quelques minutes. En suivant le bord d'un trottoir, il glissa et se rattrapa brutalement avec une secousse au ventre. Galtier tressaillit et rouvrit les yeux. La vieille affaire de la marche ratée. Allons. C'était clair, il n'arriverait même pas à dormir, il ne fallait pas compter dessus. Il n'avait plus qu'à se résoudre à se demander sans cesse pourquoi il avait fait l'imbécile.

Galtier s'immobilisa, à la poursuite désespérée d'une idée qui venait de traverser le champ de son esprit, trop vite pour qu'il puisse tout à fait l'identifier. Les doigts serrés sur ses joues, le regard fixe, il battit anxieusement tous les buissons de sa pensée ; elle n'avait pas dû pouvoir aller très loin. Il attrapa sa veste et prit au pas de course la direction de l'Observatoire. Soler. C'était Soler. C'était lui qui l'avait diaboliquement entraîné dans ce bourbier. Avec ses airs affolés ou indifférents, ses regards clairs et coléreux, ses expressions charmantes, ses crises de larmes, ses confessions spontanées, Soler l'avait poussé pas à pas droit vers la falaise. Soler qui accourait la voix brisée annoncer la mort prochaine de Louis, quand personne ne s'en doutait, et qui attendait dans son bureau qu'elle se produise bel et bien. Galtier se passa la main sur le front. Il n'avait même pas pensé que West ne connaissait pas Soler, et qu'il eût trouvé autre chose qu'un pseudo rendez-vous avec Thomas pour attirer Louis dans un piège. Dire qu'il n'avait même pas songé à ça. Autant dire qu'il n'avait pris le temps de penser à rien. Obéissant au beau sourire de Soler, il avait couru là où on lui avait dit de courir. C'est encore Soler qui l'avait aiguillé sur cette histoire de bar américain. La rencontre avec Saldon était un mensonge. Il devait connaître le peintre depuis bien longtemps, et savoir combien il était au fond vulnérable au fantôme de cette ancienne histoire du *Company*. Galtier s'arrêta et s'appuya, essoufflé, contre un arbre. Cette fois, il fallait réfléchir correctement, il n'avait plus droit à l'erreur. Soler connaît cette affaire du *Company*, par Louis par exemple, et il sait aussi quelle terreur irraisonnée elle inspire à Gaylor. Frustré par son propre échec artistique, il imagine de se venger de la gloire de Gaylor tout en ramassant beaucoup d'argent. Pour cela, il lui suffit d'agiter le spectre de cette nuit américaine. Il tue Saldon, pauvre victime de passage, et dispose cette cape sur lui afin de persuader le peintre que c'est lui qu'on cherchait en réalité à éliminer. Gaylor commence à s'affoler. Deuxième étape, il fait tuer Louis, – mais par qui ? –, pendant qu'il se lave de tout soupçon éventuel en restant sous ma garde, allant jusqu'à s'installer affectueusement dans mon bureau. Ce second meurtre suffit à convaincre définitivement Gaylor que le vengeur du *Company* est revenu pour faire payer l'outrage reçu il y a vingt-deux ans. Il ne lui reste plus qu'à laisser doucement retomber la tension, pour plus tard recueillir les fruits de son double meurtre en extorquant de l'argent à Gaylor sous la menace, comme prix de sa vie, et lui ôtant aussi de la sorte toute paix de l'esprit.

Galtier chercha une cigarette. Cette fois-ci il y était. À peu de chose près sûrement, il y était. C'était un plan admirable et d'une incroyable audace, Il s'accrocha à la grille du jardin. Calme-toi, c'est essentiel, il faut que tu te calmes avant tout, que tu respires normalement. Il ne faut pas que tu recommences à foncer comme un buffle. Tu peux encore te tromper. Il faut laisser une place permanente pour le doute, une sorte d'espace libre qui rende possible la mobilité des idées si le besoin s'en fait sentir. Sans cet espace, on risque à tout moment d'aller s'écraser contre un mur. Soler et son beau sourire. Si c'est lui, si c'est bien lui comme tu le penses, il faut t'approcher très dou-cement. Ne pas le laisser t'égarer comme il le fait depuis le début. Ne pas le laisser te troubler, te déconcerter, te dévisager comme une espèce d'ani-mal inconnu. Le mieux est que moi, je parvienne à ne pas le regarder. Y aller doucement, le laisser par-ler, le laisser t'emmener là où il le désire. Et quand on y sera, laisser tomber la trappe. Simplement laisser tomber la trappe quand tu auras compris exactement où il cherche à te conduire. Pas ques-tion de l'inquiéter ou de le prendre de front.

Galtier s'approchait à pas lents du jardin qui longe l'avenue de l'Observatoire, et que Soler avait élu comme lieu provisoire de son inspiration. En réalité pour y jouer le rôle de l'innocent, qui ne craint pas de se rapprocher des lieux du crime. Mais il n'y avait plus personne sur le banc. Il y avait un petit groupe de mégots qui disait qu'il avait dû rester encore là trois ou quatre heures malgré son ordre. Galtier gagna le carrefour de l'Observatoire qu'il balaya d'un regard sans repérer la longue silhouette noire de Thomas. À bout de forces, il pensa à un whisky qu'il pourrait avoir pour une somme insensée au bar de *La Closerie*. À présent que les éléments s'étaient remis en place, il savait où il allait, il pouvait s'accorder un répit. Logiquement, Soler n'avait plus personne à tuer et il n'y avait donc aucune urgence vitale. Il n'y avait plus qu'à aller à *La Closerie*. Il se rappela qu'une fois, quand il avait tellement calé sur cette foutue enquête de diamantaire assassiné, il avait occupé trois jours de suite la place d'Hemingway, et les choses s'étaient arrangées toutes seules. Et ensuite, il s'était toujours souvenu de cette affaire sous le titre du *Soleil se lève aussi*. C'était une curieuse habitude qu'il avait d'associer ses enquêtes les plus marquantes à des titres d'ouvrages. Cela se faisait naturellement, comme un code personnel et sacré. Pour celle-ci, des « Anges aux figures sales » s'imposaient doucement.

En entrant dans l'établissement un peu surchauffé, il vit qu'un type s'était installé sur le tabouret rouge sur lequel il avait compté. Mécontent, Galtier se laissa tomber sur la banquette du fond et commanda un alcool fort. Il revit dans une image rapide Soler passer ses doigts dans les cheveux de Jeanne pour la calmer, le soir du meurtre de Louis. Il lui caressait les cheveux en attendant que son complice exécute ses ordres, là-bas derrière la gare de Lyon. Alors, pourquoi avait-il maintenant cette espèce de peine, à l'idée que Thomas Soler allait finir sa vie derrière les murs ?

15

Tom ne tenait pas à affronter une nouvelle fois l'inspecteur Galtier. La scène du matin lui suffisait largement pour la journée. Et puis, est-ce qu'il aurait dû l'emmerder comme il l'avait fait ? C'était son affaire après tout, à Galtier, si cela lui plaisait d'être impraticable. Aussi, après trois petites heures, il avait glissé son crayon dans sa poche, sauté du banc, et il s'était éloigné après avoir adressé un petit salut de la main à l'immeuble d'en face. Gaylor n'était pas sorti de chez lui de la journée, et il n'y avait donc pas eu moyen de le croiser par surprise. Cela finirait bien par se produire un jour ou l'autre.

L'idée de rentrer chez lui l'endormait par avance. Depuis deux jours maintenant, il pensait de plus en plus à aller chez Lucie, mais en l'absence de Jeremy, il se défiait toujours de lui-même. Il se sentait une sale âme de traître. À chaque fois que Jeremy avait eu le dos tourné, cela avait recommencé. Prudent, Tom tâchait de ne pas y réfléchir et d'éviter Lucie. Est-ce que cette folie n'allait pas finir une fois pour toutes ? Ça n'avait pas été lui et puis c'était tout. L'Histoire s'arrêtait là. Et non seulement ça n'a pas été moi, récita Tom à voix basse, mais cela ne sera jamais moi. Est-ce qu'on peut concevoir quelque chose de plus simple ? Tom s'arrêta sur le trottoir et noua ses bras. Il compterait jusqu'à trois et ce serait tout à fait terminé. À trois il mettrait une croix dessus, il tirerait un trait, il renoncerait intégralement aux droits qu'il n'avait jamais eus. Il se laissa d'abord aller à examiner la sensation rude de creux et d'égarement que cette décision lui laisserait. Il serra plus fort les bras. À trois tout sera dit, tu n'es qu'une andouille. Il compta tout haut et frappa du pied, affolant quelques pigeons. C'était fait. C'était écrasé, escamoté, concassé, réduit en poudre. Il tourna encore un peu, acheva de dissiper les dernières fumées de l'accident.

À présent il pouvait aller chez Lucie. Il était tout à fait bien, un peu creux sans doute, mais bien. Lucie l'accueillerait pour la nuit.

Elle fut soulagée de trouver Tom qui l'attendait. Son silence inhabituel des derniers jours l'avait inquiétée et il n'était jamais chez lui quand elle essayait de l'appeler. Depuis la mort de Louis, elle prenait peur tout le temps, et Jeremy au téléphone avait eu l'air perdu lui aussi.

— Si Jeremy est perdu, dit Tom, on est foutus. Tu n'as toujours pas réussi à savoir ce qu'il était parti bricoler là-bas ?

— Non. Il n'y a rien à faire, il est muré.

— Je suppose qu'on n'y peut rien. C'est incroyable, tout de même. Tu es sûre qu'il ne t'a rien dit ?

— Tu penses que je pourrais te mentir ?

— Oui. Tu sais qu'il est venu me chercher à 5 heures du matin ? On s'est disputés en route et on s'est quittés sans se dire un mot. Il était pourtant sur le point de me confier quelque chose mais j'étais tellement hors de moi que je n'ai pas voulu l'entendre. As-tu eu l'impression que l'assassinat de Louis contrariait ses idées ?

— Il a dit que c'était impossible qu'on ait tué Louis.

— Jeremy est trop théorique. Allons dîner.

Pendant tout le repas, Tom tenta de classer et d'éclaircir les termes de l'affaire. En parlant sans trêve, cela les empêcherait toujours de penser que Louis était mort et qu'ils ne le verraient plus. Lucie avait l'air de très mal endurer cette idée, et elle sursautait dès qu'on prononçait son nom.

— Arrête-toi, je t'en supplie. Tu embrouilles tout, on n'y comprend plus rien. Laisse donc Galtier travailler tout seul et ne t'en mêle plus, j'en ai assez. On dirait que vous jouez, toi et Jeremy, vous êtes ignobles.

— Bon, dit Tom. Mais je ne peux pas laisser Galtier se débrouiller tout seul. Figure-toi que ce matin, il m'a surpris en train de faire le guet avenue de l'Observatoire.

— Tu le provoques depuis le début. Tu le fais exprès.

— Il a fallu que je m'explique, il était plus cassant que jamais. Et puis tout compte fait, je lui ai fait une espèce de scène. Si, je t'assure, une scène. Une espèce de discours grandiloquent où je tâchais de lui exposer pourquoi et comment il épuisait tout le monde. Il n'en a pas été content du tout.

— Tu es idiot, Tom.

— Oui, c'est d'ailleurs à peu près ce qu'il a conclu. En tous les cas c'est trop tard pour regretter. Il veut ma peau de plus en plus férocement et je n'aime pas ça. Et si je le laisse faire, il l'aura, tu comprends ? N'importe quelle théorie peut tenir debout quand on le souhaite. Dès notre première entrevue, il s'est méfié de moi.

— À sa place, je me méfierais aussi de toi. Quelle raison aurait-il de te croire sur parole ? Tu es impliqué jusqu'au cou dans chaque sursaut de cette affaire. Et en outre, tu vas l'énerver en te postant avenue de l'Observatoire. Tu as des idées invraisemblables.

Vers 2 heures du matin, Lucie abandonna et partit dormir. Elle laissa Tom qui, calé dans le grand fauteuil que Jeremy avait tapissé d'une sorte de soie verte, mit à portée de sa main cigarettes, chocolat, et gin. Tom avait éteint le plafonnier, allumé une petite lampe, et, souriant, laissait filer des fragments d'images et de conversations sans chercher à les organiser, mais seulement à se faire plaisir. Lucie avait dit qu'il se conduisait de manière invraisemblable. Il comprenait grossièrement ce qu'elle voulait dire, mais il ne voyait pas par où commencer pour y remédier. Se conduire de manière vraisemblable lui semblait un calvaire. Le téléphone résonna avec une stridence pénible. 3 heures du matin. Tom fronça les sourcils. Lucie allait être réveillée et il se sentait ce soir responsable du sommeil de Lucie. Il décrocha, le cœur rapide, au deuxième coup.

— Lucie, c'est toi ?

— Non ce n'est pas moi, dit Tom.

— C'est Tom ? C'est toi, Tom ? Je t'entends mal.

— Oui Jeremy, c'est moi. Tu m'entends mieux si je crie ?

— Oui, beaucoup mieux.

— Seulement je ne peux pas crier. Lucie dort. Il est 3 heures ici. Veux-tu que je la réveille ?

— Non surtout, c'est toi que je cherchais. Tu tombes à merveille. Est-ce qu'il y a du nouveau ? Est-ce qu'on a alpagué quelqu'un ?

— On n'a alpagué personne.

— Alors écoute-moi bien. Écoute-moi très bien, je n'ai pas beaucoup de temps, il faut que tu comprennes tout du premier coup. J'ai une dernière conférence à donner dans une heure. Je pars ce soir en vol de nuit pour New York. Je serai à Paris demain soir. Ne m'attendez pas, je dois régler une petite chose à mon arrivée.

— Quelle petite chose ?

— Je te raconterai cela plus tard, je n'ai pas le temps, je ne peux pas.

— Est-ce que tu sais quelque chose ?

— Sans doute. Non, Tom, je ne peux rien te dire, c'est impossible. Ce ne sont que des idées idéales tu comprends ? De simples structures. Mais de toute façon, si je ne me trompe pas, le danger est redoutable. Je veux que tu te tiennes dans un coin et que tu n'en bouges pas. Est-ce promis ? Même chose pour Lucie, dans un coin sans bouger. C'est entendu Tom ?

— Très bien entendu.

— Écoute-moi...

— Je ne fais que ça de t'écouter, nom de Dieu !

— Ne crie pas Tom, je ne suis pas sourd. Demain soir, je t'attends chez moi à 9 heures. Je ne veux pas te voir, ni toi, ni Lucie, à l'aéroport. Tu viens seul chez moi à 9 heures et on parlera comme tu voudras. Dis à Lucie qu'on la rejoindra ensuite, et que je l'appellerai de l'aéroport dès mon arrivée. En attendant, vous vous tenez planqués, comme des caves, d'accord ?

— D'accord, mais tout de même...

— Bien, très bien. Tu sais que je compte sur toi. Je file à présent. À demain, Tom.

— Qui était-ce ? appela Lucie.

Tom passa la tête par la porte et dit très doucement, comme si elle dormait encore, que c'était Jeremy, qu'il serait là demain soir et qu'on dînerait ensemble.

— Demain c'est dimanche, dit Lucie.

— Oui, c'est ça. C'est dimanche. (Il referma lentement la porte puis la rouvrit.) Lucie, Jeremy dit aussi qu'il faut que tu restes dans un coin et que tu n'en bouges pas jusqu'à demain soir. Il m'a fait promettre. J'ai promis pour toi. Tu m'as entendu ?

— Oui.

— Qu'est-ce que j'ai dit ?

— De ne pas bouger demain.

— C'est cela. Rendors-toi maintenant.

Tom retourna au fauteuil vert, les sourcils baissés. Jeremy devenait inquiétant, il aurait dû s'expliquer un peu mieux. Il devenait fou. Et il ne lui faisait pas confiance, il devait se méfier de ses initiatives. Voilà pourquoi il le suppliait de ne pas bouger. Jeremy n'avait peut-être pas tort, après tout. Le jour où il se conduirait de manière vraisemblable, Jeremy lui dirait sans doute plus de choses. Mais pour le moment, il ne fallait pas compter dessus. Il n'aurait droit qu'à l'épilogue, au baisser de rideau, demain à 9 heures. Jeremy avait parlé d'un danger redoutable. Bien sûr, et après ? Qu'est-ce que lui, Tom, pouvait avoir à craindre ? Il eut un frisson et chercha le chocolat qu'il avait sorti tout à l'heure. On lui avait appris que le chocolat était unique contre la mélancolie. Il était si bien tout à l'heure et cet imbécile avait réussi à lui faire peur. Oui, c'était une sorte de peur. Il ne pourrait pas encore dormir. Il tira un livre du rayonnage et le repoussa. Ce n'était pas le soir à aborder ce genre de roman qui risquait de très mal se terminer. Il monta sur une chaise et attrapa le dictionnaire. En certaines occasions, rien ne semble plus calme, plus doux, plus délicatement ennuyeux, que les racines mouvantes des mots.

Quand Tom se réveilla, il courut à la chambre de Lucie et vit qu'elle était déjà partie. Elle avait dû se préparer sans bruit. Avait-elle bien retenu ce qu'il lui avait dit dans la nuit ? Elle n'avait pas laissé de message. Tom se rappela qu'elle avait parlé d'un petit concert. Lucie ferait comme Jeremy avait dit, elle ne bougerait pas. Et lui ? Il l'avait promis aussi. Que ferait-il un dimanche ? Comme beaucoup de gens, Tom adorait les samedis, où tout était encore possible, et détestait les dimanches où tout tournait court et où il n'y avait rien de potable à faire. Il fit durer le temps et se décida brusquement pour une promenade au Louvre. Des années qu'il n'y avait mis les pieds. L'idée lui sembla superbe. Il irait voir l'Astronome, aux nouvelles acquisitions. Pas question d'aller chez lui ; tant que la deuxième couche sur sa toile ne serait pas sèche, il avait les meilleures raisons pour ne pas travailler. Quant à aller dessiner devant chez Gaylor, il ne fallait pas l'espérer. Croiser Gaylor serait merveilleux, mais croiser Galtier serait atroce. Lucie avait évidemment raison, et Galtier avait tous les motifs pour être sur ses gardes. C'était son métier de saisir les êtres avec des pinces et de les inspecter, de loin, pour leur chercher des bêtes, avec l'intention de ne pas se laisser divertir de sa recherche de poux par des sentiments parasites, qui sont les plus traîtres de toutes les espèces de sentiments. L'innocence n'existe pas, c'est une notion. Seul le pou existe, et il le prouve. Lucie avait tout à fait raison. Galtier était condamné à ne jamais trop s'approcher, condamné donc à l'infaillibilité, à l'immunité éternelle. Et lui, Tom, n'était pas du tout tiré d'affaire. À moins que Jeremy... Oui, Jeremy, peut-être, mais il n'y croyait pas tellement au fond. Au Louvre, ce serait parfait pour l'attendre. Et ce serait le dernier endroit où il rencontrerait Galtier, le chercheur. Tom tira son crayon, le tailla au couteau d'un geste précis, et considéra avec émotion la pointe effilée. Il taillait comme personne.

Il laisserait simplement un mot pour Lucie. Il apporterait le dessert, il l'embrassait. Pas de ça. Il avait promis. C'était concassé, réduit en poudre. Il déchira la feuille et mit au point un second petit texte, fait d'un besogneux mélange d'humour et d'amitié qu'il trouva détestable. Il valait mieux ne rien laisser du tout plutôt que d'être inutile et ridicule.

Devant l'Astronome, Tom se trouva heureux. C'est curieux, il avait cru cette fichue peinture plus grande. Galtier devait le chercher au jardin. C'était un homme à travailler le dimanche. Est-ce qu'il ne serait pas très déçu de ne pas le trouver sur le banc ?

16

Chez Gaylor, on avait relevé les volets. Il ne regrettait pas d'avoir parlé à Galtier, d'avoir dit tout ce qu'il gardait pour lui depuis le soir du meurtre. C'était à la police de jouer seule à présent. Mais cette faction incessante sous ses fenêtres l'épuisait, aggravait sa nervosité et en outre, il trouvait cette protection vaine et grotesque. Elle ne sécurisait que la police. On n'allait pas le garder des mois, n'est-ce pas ? Il avait demandé qu'on lève ce siège.

Une fois l'immeuble libre, Gaylor respira. Il trouva que la vie n'avait plus l'air aussi étroite que ces derniers jours. Il était à nouveau au large, calme, puissant. Il irait rendre visite à cet ami collectionneur. Il la différait depuis cette abominable soirée.

Il enfila une chemise de toile grise qui lui fit plaisir à voir. Depuis très longtemps, il ne remarquait plus les deux longues estafilades blanches qui marquaient ses bras, mais cette semaine, il ne pouvait se défendre d'y jeter un coup d'œil et de les défier dans leur secret. Il allait appeler un ami pour l'accompagner, ce serait mieux.

Il prit à cet après-midi un plaisir complet. Il respirait l'air chaud de Paris avec une application biologique, et soutenait à peine la conversation avec son compagnon. La soirée s'éloignait, Louis s'éloignait, il ne restait en ce moment que le frôlement des voix et des couleurs dans les rues. Il regarda son ami qui parlait à ses côtés. Il était toujours aussi laid, mais il le trouva mieux que d'habitude et il lui secoua l'épaule en riant.

Au soir, il rentra chez lui dans un état d'esprit glorieux, se débarrassa de sa cape pesante, difficile à endurer en cette saison, et posa un baiser sur le front de sa femme.

Quand on sonna à la porte, il ne s'alarma même pas. C'est Khamal qui lui retint le bras quand il parvint à l'entrée. Khamal était un sage. Sur le palier, quelqu'un dit : Police, ouvrez. Gaylor entrebâilla la porte pendant que Khamal la calait avec son pied. Il y avait là un homme jeune en manteau trop grand, qui semblait assez éteint. Gaylor ne l'avait jamais vu avec Galtier. Police, répéta l'homme, qui demanda à entrer. Gaylor regarda Khamal et sursauta en voyant, sous sa main posée à sa ceinture, le manche de corne noire d'un petit couteau. Le policier pénétra de façon malhabile dans l'entrée. Il se frottait la tête. Khamal le regardait les yeux mi-clos, et Gaylor remarqua la fixité de tout son corps, avec cette main à la ceinture. Le policier semblait percevoir cette présence guerrière, jetait des coups d'œil inquiets à Khamal, et s'expliqua avec beaucoup de difficultés. L'inspecteur Galtier l'envoyait pour une petite question supplémentaire qui manquait à son dossier. L'homme torturait sa chevelure et gardait le visage baissé, comme s'il ne pouvait soutenir l'examen de Gaylor. C'était dimanche, il s'appelait Marc Lebrun, il était de garde, il avait trouvé une note de Galtier sur le bureau, il exécutait les ordres. Il ne s'agissait que d'une petite question. Gaylor dit qu'il voulait bien volontiers répondre à tout ce qu'on voudrait, mais qu'il voulait voir sa carte d'abord. Khamal serra le policier à moins d'un pas. L'homme porta la main à sa joue, l'air embarrassé. Il avait laissé sa serviette en bas dans la voiture, mais il était garé loin, est-ce qu'on ne pouvait pas s'en passer ? Il était nouveau, il n'avait pas encore bien l'habitude et il avait hâte de rentrer chez lui. Il s'agissait de Mme Gaylor, un détail qui manquait, on attendait son rapport au commissariat.

— Maintenant Khamal ! dit Gaylor d'un ton calme.

D'un geste, Khamal agrippa le policier au col et le lança sur le palier. Gaylor claqua la porte derrière lui et bloqua la sécurité. Ils entendirent l'homme dévaler les marches. Adossé au mur, les lèvres tremblantes à présent, le peintre parla de manière précipitée.

— Ce n'était pas un policier Khamal. Je ne sais pas qui il est. Je ne sais pas d'où il vient. Range ce couteau, je ne veux pas te voir avec ça, c'est stupide. Je n'aurais peut-être pas dû faire lever la garde. Ou plutôt si. Plutôt si.

Il décrocha brutalement le téléphone et appela le commissariat. On n'avait envoyé aucun enquêteur chez lui, et il n'y avait pas de Lebrun connu chez eux.

— Joignez Galtier ! cria Gaylor. Joignez-le n'importe où et dites-lui qu'il me contacte aussitôt, je ne bougerai pas d'ici. Comment, envoyer un agent ? Et pour quoi faire ? Pour le peindre, peut-être ? L'homme a filé depuis longtemps ! Galtier, trouvez-moi Galtier !

Gaylor jeta l'appareil, il était en sueur. Esperanza accourut dans la pièce, Gaylor lui sourit et la serra dans ses bras.

— C'est le merdier mon petit, dit-il. C'était un type que personne ne connaît. Je ne devine pas ce qui se passe mais ils risquent de m'avoir. Comprends-tu cela ? Que feras-tu quand ils m'auront ?

— Assieds-toi. Jouons aux cartes. Sers-moi un mescal, je reviens tout de suite.

Gaylor posa sa cape sur ses épaules. Son poids chaud le rassurait. S'il manquait un seul bouton, il pouvait le deviner rien qu'au poids sur ses épaules.

Pendant qu'il battait un jeu, Esperanza revint et posa un objet lourd qui résonna sur le bois de la table, un revolver noir, aussi simplement que si elle avait apporté un cendrier. Gaylor la regarda sans comprendre.

— Eh bien, qu'y a-t-il ? dit-elle. On croirait que tu en as peur. Il ne va pas partir tout seul.

— Mais mon Dieu Speranza, d'où tiens-tu cela ?

— Un torero qui me l'a offert il y a longtemps, en gage d'amour, à Pampelune.

— Drôle de cadeau, murmura Gaylor.

— Tous les Espagnols n'offrent pas des fleurs. Il y tenait beaucoup. Son père avait descendu trente-deux fascistes avec. Alors tu comprends.

— Oui, évidemment. C'est délicat, romanesque. Comment se fait-il que tu ne m'en aies jamais parlé ?

— Du revolver ou du torero ?

— Du revolver bon Dieu !

— Est-ce qu'on parle d'un revolver ? Mais le torero s'appelait Lorenzo, et il avait été fameux à Séville. Je crois même que je l'avais un peu suivi en tournée.

— Je me fous du torero ! Où était-il ? Pas Lorenzo, le revolver ?

— Dans une boîte, au fond de mon placard. Qu'y a-t-il ? Tu aurais voulu que je l'accroche au mur ?

— Enfin, c'est incroyable ! Tu ne t'en rends pas compte ?

— Mais non. C'est toi qui fais toute une affaire pour rien. Qu'est-ce qu'il y a d'impossible à ce que je possède un revolver ? Tu ne connais rien aux Espagnols, voilà tout. Je l'avais, je l'ai gardé. Un revolver, ça ne se jette pas, surtout quand c'est un présent d'amour, et que ça a tué trente-deux fascistes, et puis ça peut toujours servir. D'ailleurs, ce soir, on est bien contents de l'avoir, non ? Moi si en tout cas.

— Est-ce qu'il est chargé ?

— Bien sûr qu'il est chargé. À quoi peut servir un revolver vide ? J'ai mis six balles. De quoi voir venir. Tu ne veux pas jouer ?

— Mais si.

Gaylor battit les cartes et les distribua. Il regardait, penché vers son jeu, le front d'Esperanza, et se demandait s'il finirait un jour par la connaître et surtout s'il en aurait le temps.

17

Tom se sentait plus épuisé que s'il avait parcouru l'Afrique à pied. Il avait piétiné pendant des heures entre les masses hurlantes et trop chaudes des visiteurs du Louvre, et il en avait assez. Il les détestait tous et constatait une fois encore les effets dégradants de la chaleur sur l'être humain, qui perdait tout maintien, toute apparence, et se traînait à moitié nu entre les plus belles statues. Nudité repoussante d'un côté, et puis nudité sacrée d'un autre, Tom se demandait depuis un moment comment arranger ça ensemble. Parfois, il étendait ses bras, les regardait, et murmurait gravement : embranchement des Vertébrés, classe des Mammifères, sous-classe des Euthériens, ordre des Primates, voilà l'homme. Et cela l'émouvait. Et d'autres fois, cela l'écœurait. Il s'examina dans une vitre en passant et secoua la tête. Tom, embranchement des Vertébrés. Personne n'oserait jamais mettre ça sur une carte de visite.

Il s'affala à la terrasse d'un café après avoir vérifié qu'il n'y connaissait personne. Il avait pensé à prendre un dessert pour ce soir, et il avait mis un temps impossible à trouver quelque chose qui puisse convenir à Jeremy. Jeremy ne plaisantait pas avec ça. Il était capable de traverser tout Paris pour un dessert qui puisse approcher la perfection, et Tom ne voulait pas lui donner dès ce soir prétexte à une de ses révoltes grandiloquentes et vaines. Jeremy était vraiment trop théorique par moments.

Tom posa son carton à dessert, dont il avait honte parce qu'il était laid, sur une chaise à l'ombre. Il avait deux heures d'attente avant de gagner la Bastille. Il tira son crayon. L'ange de gauche avait une aile mal accrochée. Ça se casse la gueule, dit-il. Il n'y avait pas pour lui de verdict plus définitif.

À 9 heures moins 5, il déposait avec précaution ce foutu carton sur le palier du quatrième étage, devant la porte de Jeremy. Après deux heures de chaleur, son contenu devait être dans un sale état, et mieux valait ne pas regarder. Jeremy irait se faire voir et s'il criait, Tom crierait plus fort.

Il frappa trois coups. Il semblait que l'eau coulait dans l'appartement, sûrement dans l'évier qui était dans la première pièce. Il frappa plus fort. Qu'est-ce qu'il foutait ? Il avait dû s'endormir à cause du décalage horaire. Par la fente de la porte, Tom vit que le verrou n'était pas tiré. Jeremy était donc bien rentré. Tom cogna encore contre la porte. Un filet d'eau coula entre ses pieds.

— Jeremy ! hurla-t-il. Jeremy, qu'est-ce que tu fais ? Ça coule chez toi !

Il souleva son carton à dessert et le posa sur la première marche de l'escalier.

Maintenant, le palier était inondé. Tom s'affola d'un coup et se jeta sur la porte qui s'ouvrit tout de suite, le précipitant dans l'appartement. La clenche n'était qu'à moitié repoussée. Jeremy était tombé le long du lit, il était par terre.

Tom vit son visage blanc, immobile, et le sang qui tachait le tapis clair et Tom crut mourir. Il posa sa main tremblante sur le cou de Jeremy. Était-ce son propre vacarme qui battait sous ses doigts, ou était-il possible que Jeremy vive encore ? Il se précipita à l'évier, passa sa tête et ses bras sous l'eau, ferma le robinet et revint à son ami. C'était bien Jeremy qui vivait encore, mais si peu, si loin. Pris de vertige, Tom attrapa le téléphone. Il fallait qu'il se maîtrise et qu'il puisse téléphoner. Jeremy comptait sur lui. Sa voix avait gagné un octave, mais il put parler, donner l'adresse en hurlant à Police-Secours. On arrivait. Au commissariat, il n'y avait que Monier. Galtier n'était pas là. Sa radio de voiture devait être en panne, on essayait de le joindre depuis un moment et on n'y arrivait pas. Tom lâcha l'appareil. Sacré crétin de Galtier ! Foutu incapable, parti rechercher Dieu sait quoi. Il faut que l'assassin tue pour qu'il disparaisse, pour qu'il casse sa radio, exprès peut-être pour avoir la paix. La paix !

Jeremy. Jeremy qui lui avait fait promettre de se tenir tranquille. Oui, il avait dû trouver la vérité, la sale vérité à Frisco. Et maintenant voilà. On avait dû prévenir Paris, et on était venu l'attendre, l'agripper avant qu'il n'ait le temps de parler. Tom jeta un coup d'œil dans la pièce, laissant sa main sur le cou de Jeremy. Sa main était chaude, elle ferait du bien à Jeremy. Un sac était posé sur le bureau, le manteau jeté sur le lit. Il avait eu juste le temps de rentrer et d'ouvrir l'eau avant qu'on ne se jette sur lui.

Est-ce qu'il avait pu téléphoner ? De l'aéroport par exemple ? Est-ce qu'il avait pu téléphoner à Lucie ? Lucie bien sûr ! Il l'avait certainement appelée. Et on l'avait peut-être entendu. Lucie... En danger. Il fallait savoir ce que Jeremy savait. Il avait simplement aligné les faits vrais les uns à côté des autres, avait-il dit. Et puis après ? Frissonnant, craignant de lui faire mal, Tom fouilla son ami. Si par miracle il avait rapporté une information, il l'aurait gardée sur lui. Il sentit un papier plié au fond de la poche avant du pantalon. Il le déchira un peu en l'ouvrant et resta quelques secondes sans comprendre. Puis le plancher devint liquide, et Tom dut s'adosser, glacé, au mur. Impossible, gémit-il, et il ne reconnut pas sa voix. À présent, il entendait la sirène des secours. Les flics ! Les flics allaient le prendre ici, l'embarquer, l'interroger, l'accuser bien sûr, et le boucler pour de bon. Jamais Galtier ne l'écouterait, Galtier voulait le casser, le mettre à genoux. Et pendant cela, si Lucie avait été alertée par Jeremy, on avait trente fois le temps de la retrouver, et puis de la... « Je l'appellerai dès mon arrivée », avait dit Jeremy. Dès son arrivée !

Tom entendit une cavalcade dans l'escalier. Il serra le papier dans sa poche et grimpa quatre à quatre jusqu'au dernier étage. Les toits. Il connaissait les toits. Il y a longtemps, il y avait eu un incendie au troisième, en plein jour, et les pompiers les avaient tous emmenés sur les toits. Ça avait été une sacrée journée mais les pompiers avaient été formidables. C'était des toits plats, faciles comme tout, sauf le passage sur celui de l'immeuble d'à-côté, où il valait mieux ne pas regarder en bas. Est-ce que de nuit ce serait possible qu'il y arrive sans tomber ? Il fallait qu'il s'arrête de vaciller, qu'il ne pense pas qu'il pourrait tomber, mais qu'il ne pense qu'à elle. Il avait retrouvé une rapidité formidable mais il ne savait pas d'où elle pouvait venir, et il la bénissait. Il voyait Lucie appeler, avec deux mains autour de son cou. Il sauta sur l'immeuble d'à-côté avec une force folle. Tout son corps semblait lui être rendu, tout était disponible. De là-haut, il vit les éclairs bleus des ambulances. On allait emporter Jeremy, on lui ferait tout de suite des piqûres. Tout en courant dans la rue, Tom se raccrocha à cette idée que les piqûres lui feraient beaucoup de bien. Une voiture apparut au carrefour et Tom se jeta devant ses phares. Le conducteur l'évita d'une embardée et la voiture dérapa d'un quart sur elle-même. L'homme avait eu si peur qu'il avait conquis le droit d'insulter n'importe qui, et fonça sur Tom.

Tom cria plus fort et quelques instants plus tard, il grimpait aux côtés du chauffeur et se faisait conduire au plus vite chez Lucie. Dans le rétroviseur, il voyait s'éloigner les gyrophares.

Il était près de 10 heures, l'heure où Paris s'allège, où il est trop tôt pour rentrer ou trop tard pour sortir. L'homme aimait foncer et c'était parfait pour ce soir.

Ils traversèrent les carrefours en appels de phares, attrapèrent les quais. L'homme hurla à Tom que si la rue des Saints-Pères résistait, il prendrait les trottoirs. Il ne savait même pas la raison pour laquelle il courait, mais il courait tout de même et Tom était émerveillé. Il vit défiler le profil osseux de Notre-Dame. Est-ce que l'autre soir, Jeremy ne s'était pas cassé la tête sur une histoire de voûte d'ogives et de résistance mécanique ? Il aurait bien mieux fait de s'en tenir là. Tom appuya son front sur ses mains.

— Plus vite, souffla-t-il au conducteur.

Il avait faussé compagnie aux flics. Des voisins, ou la concierge, avaient pu le voir tambouriner à la porte, ou s'enfuir par l'escalier. Galtier allait devenir malade de fureur.

— T'en fais pas mon garçon, dit l'homme en lui tapant la cuisse. Donne-moi une allumette.

— Pourquoi faire une allumette ?

— Quand je mors une allumette, je peux conduire encore plus vite. C'est un truc à moi.

Tom lui glissa une allumette entre les dents, et l'homme la serra. On entendit la petite brisure du bois.

— T'en fais pas, répéta-t-il. C'est du billard ce soir, c'est la glisse. Tu vas voir.

L'Hôtel des Monnaies, l'Institut, les Beaux Arts, et la rue des Saint-Pères, presque vide. Ils doublèrent, une roue sur le trottoir. Sèvres-Babylone. Tom s'occupa à prononcer ce mot de Babylone plusieurs fois.

— On arrive mon garçon ! cria l'homme.

Il cracha ce qui restait de l'allumette. Pour aller chez Lucie, on passait devant chez Tom. Il s'abaissa en voyant les cars de police qui cernaient son immeuble. Ça y était. On le cherchait. Ils n'avaient pas traîné.

— Descends mon garçon, et bonne chance.

Tom serra très fort sa main et en prit de la vigueur.

— Je m'appelle Verrier. Tiens, attends, prends ça, et souviens-toi de moi, on ne se reverra plus.

Il lui glissa une allumette entre les dents et Tom serra les incisives.

Il poussa des deux mains contre la lourde porte en bois de l'immeuble, et chercha dans le noir, la respiration rapide, le témoin tremblant de la lumière. Une main chaude se referma sur son poignet et le tordit terriblement. Tom brisa son allumette et ne cria pas. Il eut froid et sut que c'était fini. Il remua les doigts pour faire revenir la circulation. Fini avant d'avoir rien commencé, rien compris, rien vu et pas assez aimé. Fini pour Lucie aussi. L'homme lui déchirait le bras et il pensa que son épaule allait partir avec. Il ne tremblait plus, et tout son corps était toujours à lui, il le percevait dans tous ses muscles raidis. Il reconnut dans l'obscurité le parfum et la silhouette de son agresseur. Il ne s'était pas trompé, mais il n'avait pas été assez rapide. Il ne pourrait jamais s'échapper et toute la vie qui chauffait son esprit n'allait pas lui servir. La puissance déterminée de l'autre serait tellement plus forte.

Son épaule craquait sous la torsion et Tom s'étonna de se révolter contre cette douleur alors que ça n'avait plus d'intérêt ni d'importance.

— Tu viens avec moi, dit Gaylor, si près que Tom sentit ses cheveux tiédir sous le souffle de sa voix. Tu marches devant moi, et tu ne cries pas, tu ne te débats pas.

Tom entendit dans son dos le cliquetis bref du chien d'un revolver qu'on lève. Il reconnaissait ce bruit, il l'avait écouté au cinéma des millions de fois, et il savait qu'une fois le chien levé, la moindre détente ferait partir la balle.

— Vous êtes atroce, dit Tom.

— Ne sois pas bête.

— Vous n'êtes pas vous, n'est-ce pas ?

— Parle moins fort.

— Comment m'avez-vous trouvé ? Comment avez-vous su que je savais ? Je n'ai compris que ce soir, il y a une heure.

— Tu as donné une adresse dans la rue à un homme qui t'a pris en voiture. Tu l'as même criée, cette adresse.

— Vous étiez là ?

— Non. Mais une part mobile de moi-même capte ce qui se fait et ce qui se pense pour moi.

— Khamal ?

— Oui, Khamal. Tu l'as stupidement interrompu chez ton ami tout à l'heure.

— Il était toujours dans l'appartement ? Où ?

— Si j'ai bien compris, dans un placard, sous l'évier. Il t'a vu téléphoner, fouiller les poches de ton ami, trouver quelque chose.

— Pourquoi ne m'a-t-il pas tué aussi ?

— Parce que je ne lui en avais pas donné l'ordre.

— Ensuite, il m'a suivi par les toits ? Il vous a prévenu ?

— C'est cela.

— Khamal n'a pas fini son travail. Jeremy n'est pas mort, il parlera.

— Il s'appelle donc Jeremy ?

— Vous ne le saviez pas ?

— Je ne le connais que depuis ce soir. Nos relations auront été brèves. C'est vrai, il n'est pas encore mort, mais cela ne tardera pas. Non, pas de mouvement Thomas. Cela ne me plaît pas de te supprimer tu sais. Pas du tout, même. Tu es un sacré garçon, et tu peins bien. Mais pourquoi a-t-il fallu que tu t'agites comme cela dans cette histoire ? Tu ne pouvais pas rester en dehors du coup ?

— Je me suis agité pour vous. Je pensais qu'il fallait vous protéger. C'est drôle, non ?

— Tu m'aimais bien ?

— Très bien.

— Tu as mal pensé. En revanche ton ami, Jeremy, est un cerveau. Oui, impressionnant. Je ne sais pas comment il s'y est pris pour découvrir tout seul la vérité alors que tous étaient partis dans de mauvaises directions, exactement comme je le souhaitais. Mais lui, il a fallu qu'il comprenne. C'est tellement dangereux de trop chercher, de trop comprendre.

— Comment avez-vous su pour lui ? Il n'avait rien confié à personne, pas même à moi.

— Par chance. Il est doué pour l'étude mais mauvais en composition théâtrale. Trop sûr de lui peut-être, trop pressé. Tout à l'heure, un faux policier s'est présenté chez moi, le genre timide, idiot.

— Jeremy n'est pas timide.

— Justement. Cela sentait le bricolage grossier. Mais surtout, il gardait sans cesse la tête baissée vers mes mains, il les suivait du regard ; alors j'ai compris ce qui m'attendait si je laissais cet homme-là en vie. J'ai décidé de le tuer sans même le connaître. Ce que je savais de lui me suffisait. J'étais certain en outre, parce qu'il était seul, qu'il n'avait pas encore prévenu la police de sa découverte. Il devait souhaiter la certitude d'une victoire complète avant de se présenter à Galtier. C'est un fou. Il s'est livré à moi.

— Jeremy est trop théorique, dit Tom, la gorge contractée.

— C'est un fou.

— Vous aussi.

— Moi aussi.

Tom se sentait maintenant moins calme et plus vibrant, et il avait les jambes dures et douloureuses. Il demanda si on allait encore loin.

— Quelle importance ? Avance.

— Et si je vous jure de ne rien dire ?

— Ne fais pas l'enfant, c'est ridicule.

Tom soupira.

— Saldon, Louis, Jeremy, et moi maintenant, je n'aurais jamais dit que vous étiez un tueur.

— Toi, tu n'as pas envie de me tuer en ce moment ?

— Je ne pense qu'à ça.

— Tu vois bien. Si tu crois que cela me fait plaisir. Mais tout s'enchaîne. Saldon m'avait deviné. J'ai dû le tuer. Ensuite j'ai fait tuer Louis, simplement pour me faire passer pour une victime rescapée et menacée aux yeux de la police. C'était le seul moyen d'escamoter le meurtre de Saldon, d'avoir la paix et de n'être jamais soupçonné.

— Mais pourquoi...

— Arrête maintenant. Ça ne sert à rien de parler à présent. Je t'ai dit l'essentiel pour que tu ne meures pas dans l'ignorance.

— C'est très aimable.

— Mais avance enfin !

— J'ai les jambes dures.

— C'est normal. Moi aussi. Tous les deux, on ne va pas à une fête.

— Laissez-moi partir.

— Trop tard Thomas.

— Je vous en supplie.

— Trop tard Thomas. La donne est faite, je ramasse mon pli.

— Saloperie !

— Tourne par là. Derrière ce mur. Allez. Bien, donne-moi ce foutu papier maintenant. (Tom le sortit de sa poche.) À quoi tiennent les choses, sourit Gaylor en le glissant dans sa veste. Si tu n'avais pas regardé ce papier...

— Je peux me retourner ? demanda Tom.

— Non.

Tom regardait la rue qui longeait le petit square où Gaylor l'avait poussé. Elle était déserte. C'était injuste. Il aurait dû y avoir un passant, grand et fort, et il aurait crié et tout se serait bien terminé.

— Lâchez-moi l'épaule, dit Tom.

— Colle-toi là. (Gaylor le serra contre un arbre, le front sur l'écorce.) Tu ne vas pas te débattre, Thomas. Cela ne servira à rien. Pardonne-moi.

Tom sentit le bord froid de l'arme se placer contre sa nuque trempée, à la base de ses cheveux.

— Il y a du bruit ! dit Tom d'un souffle.

— Tu mens.

— Si, il y a du bruit ! Du bruit de feuilles, du bruit de buisson.

Gaylor prêta l'oreille et n'entendit rien.

— Vous ne devriez pas, dit Tom. Pas maintenant. Si il y a un couple dans le buisson là-bas, vous êtes foutu. Peut-être est-ce qu'ils vous regardent déjà. Il y a sûrement quelque chose dans ce buisson.

Gaylor resserra la clef de bras.

— Marche devant sans bruit, dit-il. On va aller voir.

Tom perçut l'impatience et l'appréhension qui gagnaient la voix du peintre. Il ne doit pas être habitué à tuer, pensa-t-il. Il recule. Bien sûr il va le faire, mais pour le moment il recule, il est raide, il n'aime pas ça.

À dix mètres d'eux, des branches craquèrent, et il y eut un cri :

— À terre, Soler ! À terre !

Gaylor lâcha prise et Tom se jeta dans la poussière de l'allée. Galtier ! La voix de Galtier ! Nerveuse, cassée, enrouée et salvatrice, la voix elle-même de Galtier dans ce foutu square du bout du monde. Même la Callas n'avait jamais produit sur lui une telle émotion. On tirait dans tous les sens, Tom compta au moins dix détonations. Il s'en foutait. Le front dans le sable, la peau des bras arrachée par sa chute, Tom serrait les mâchoires, étendait les doigts dans la terre. La voix de Galtier. Il l'entendait qui lançait des ordres. « Par la gauche, contourne par la gauche » et puis, « Aux jambes ». Quelqu'un lui passa dessus. Il y avait les bruits d'une course plus loin vers la rue.

Affalé dans la poussière tiède, Tom cherchait à s'y écraser le mieux possible. Il aurait souhaité rester là des heures, rester jusqu'au matin. Heureux, meurtri, étalé dans la crasse. Plus il serait sale et plus cela lui ferait plaisir. Là-bas, du côté de la rue, il y avait à nouveau des cris. Quelqu'un lui prit l'épaule.

— Tu peux te relever maintenant, dit Galtier.

Tom lui aurait élevé un monument. Un monument à sa voix cassée qui avait dit « À terre, Soler » dans la nuit.

Il claquait des dents et se redressa sur un coude, l'autre bras pendant comme un morceau inutile. Des graviers s'étaient incrustés dans la peau de son front et il en était content. Un à un, ils se détachaient. Il se releva tout à fait en produisant un nuage exagéré de fumée de sable. Il aurait préféré rester par terre avec son sable.

Abruti, il regarda l'inspecteur Galtier en soutenant son bras mort.

— Je vais vous élever un monument, dit-il.

— C'est le moment en effet. Il vient de nous filer entre les doigts. Volatilisé dans les ruelles. Il court comme dix. On cerne tout le secteur. Pas trop de casse ?

— Non. Mais Lucie..., Lucie, vous l'avez trouvée ?

— L'amie de Mareval ? Elle n'a rien, rassure-toi. Elle n'a vu personne.

Tom eut envie d'embrasser Galtier, mais il savait qu'il valait mieux ne pas le faire.

— Vous lui avez dit pour Jeremy ?

— Oui. Elle est là-bas avec lui.

— Il a donc pu vous parler ?

— Il en est toujours incapable. Il en a pris un sacré coup.

— Quelle arme ?

— Couteau, dit Galtier rapidement. Deux fois dans le ventre. On est en train de l'opérer.

Tom se sentit perdre pied et Galtier lui colla deux gifles.

— Ne t'évanouis pas. Écoute-moi. Jeremy n'a pas parlé. Les secours avaient alerté le commissariat. Avant même d'arriver à l'hôpital, j'étais certain que tu l'avais tué. Je te soupçonnais déjà pour d'autres raisons. Une heure plus tôt, un homme s'était présenté chez Gaylor, sous le masque d'un policier et j'étais persuadé qu'il s'agissait de toi. Et on venait en outre m'apprendre que tu avais été vu sur les lieux de l'aggression, et que tu t'étais enfui. Je n'avais plus aucun doute à ton sujet.

— Mais c'est infernal, dit Tom. Je n'ai pas...

Il eut la gorge tellement douloureuse qu'il ne put aller plus loin.

— Chut, tais-toi. Laisse-moi finir. Je suis en train de te raconter une histoire. En fouillant les papiers de Jeremy Mareval, la première chose qui m'est tombée sous la main, c'était un billet qu'il avait glissé dans son portefeuille, bien en vue, comme s'il avait voulu l'avoir à portée. Il s'agissait d'un mot d'introduction de Mme Saldon pour l'accès aux archives de son mari. Un papier sans importance qu'il aurait dû normalement jeter. Je ne comprends pas pourquoi au contraire Mareval l'a gardé si soigneusement et placé en évidence, mais ce fut ma chance. Le destin, si tu veux. Car sans cela, tu serais mort dans ce petit jardin.

— Comprends pas, dit Tom d'une voix faible.

— C'est bien, je reprends pour toi. Tu m'avais dit que Mareval s'amusait à mener sa propre enquête en Amérique, ce dont d'ailleurs je me foutais. Et à tort. Parce que dès qu'il revient, et avant qu'il puisse dire un mot, on l'éventre. (Tom eut une grimace.) Pardonne-moi. On l'attaque. Ce billet de Mme Saldon prouvait clairement que Mareval ne s'était pas du tout occupé de Gaylor en Amérique, mais bien de ce pauvre type de Saldon que j'avais déjà oublié. Alors tout basculait à nouveau : si Gaylor n'était pas la victime, quel jeu jouait-il avec moi ? Est-ce que ce pouvait être Mareval qui s'était présenté chez lui ? Ce qui m'a gêné, c'est que c'est Gaylor lui-même qui a alerté le commissariat de cette visite. Mais c'était en fait un plan magnifique. Pendant qu'il envoyait Khamal, probablement, suivre et tuer Jeremy, il nous appelait, persévérant ainsi dans son rôle d'homme menacé et traqué. Ensuite, on aurait retrouvé Jeremy mort et on aurait simplement dit que le meurtrier venu d'Amérique s'était débarrassé d'un homme trop intelligent qui avait découvert la vérité à Frisco sur le gang du *Company*. Et on n'aurait jamais su quel mystérieux visiteur avait sonné à la porte de Gaylor ce soir-là. Tu comprends maintenant ? Je ne savais pas pourquoi Jeremy avait eu besoin d'aller fouiner chez Gaylor – et je ne le sais toujours pas –, mais en tout cas, si c'était lui le visiteur, le peintre ou quelqu'un de la maison avait dû le suivre et l'abattre. Car s'il avait dû être supprimé par un Américain quelconque, la chose se serait plutôt discrètement réglée là-bas. En arrivant avenue de l'Observatoire, j'ai vu Gaylor qui sortait, sans cape, avec un chapeau, et il avait ainsi une allure tellement inhabituelle que j'ai manqué ne pas le reconnaître. Il a pris sa voiture. On l'a pris en filature jusqu'à cet immeuble et on a tous attendu. Très peu de temps après, je t'ai vu descendre d'une voiture, entrer précipitamment dans le même immeuble. J'ai pensé, oui j'ai cru qu'il cherchait secours auprès de toi, que vous aviez rendez-vous, enfin...

— Oui je comprends, dit Tom péniblement. Mais il aurait pu me liquider dans la cour de l'immeuble.

— Je ne pensais pas qu'il voulait te liquider. N'oublie pas que tu avais filé de chez Mareval, que je te soupçonnais. C'est seulement en vous entendant parler tous les deux que j'ai vraiment admis que tu n'étais pas dans le coup.

— Oui, dit Tom. Cela me blesse, mais je ne peux pas vous en vouloir. Dans un sens, ce pouvait être logique, j'étais toujours là où il ne fallait pas. Mais tout de même, ce n'est pas agréable. Vous m'avez toujours soupçonné ?

— Toujours et de plus en plus, dit Galtier à voix basse et rapide.

— Soupçonné d'avoir tué Saldon, d'avoir organisé le meurtre de Louis pour me disculper, et pour finir d'avoir poignardé Jeremy. Et d'avoir menti sans cesse, brute sanguinaire sous le masque de l'artiste un peu fou. C'est gai. C'est très gai.

Tom serra les dents. Il était hors de question qu'il pleure encore. Il aurait dû rester dans le sable jusqu'au matin.

Galtier l'entendit reprendre sa respiration, et remua un peu de terre du bout du pied.

— Vous rendez-vous compte ? reprit Tom. Qui suis-je pour n'avoir jamais inspiré confiance, pas même une heure ?

— Non, pas même une heure. C'est mon métier. Qu'est-ce que tu étais venu faire dans mon bureau le soir du meurtre de Louis ?

— Vous tenir compagnie, je vous l'ai dit.

— Par hasard, tu ne vas pas pleurer encore ?

— Non, dit Tom. Mais j'y songe sérieusement.

Il rit.

— Alors attends un petit peu, et tâche de me comprendre. Ça devrait t'être possible. Mais moi, je ne peux rien me pardonner. Tu as été sauvé ce soir par hasard, par chance, par coïncidence, pour un billet dans un portefeuille. Je n'ai rien compris. D'un bout à l'autre, j'ai vu l'inverse de ce qu'il fallait voir. Gaylor m'a trimballé. As-tu su ce qu'avait trouvé ton ami ?

— C'était un papier qui était dans sa poche. Un splendide dessin de Saldon. C'était des mains. Et dans le coin, il y avait écrit, Gaylor, 1960, et c'était signé Saldon. Mais les mains étaient assez courtes, les ongles carrés, le pouce trapu et le poignet large. Bref j'ai vu tout de suite que ce n'était pas les mains de Gaylor, enfin pas du nôtre en tout cas. Lui, il a des mains beaucoup plus grandes et belles, les articulations franches, les doigts dégagés. J'avais assez bien remarqué ses mains. Est-ce qu'on change de mains en vieillissant ? Non. Donc notre Gaylor n'était pas le Gaylor qu'avait dessiné Saldon. Et Saldon avait dû s'en apercevoir, lui qui l'avait tant observé. C'est tout ce que j'ai compris, mais c'était assez. Et j'ai compris aussi que Lucie devait être en danger, car je ne savais pas jusqu'à quel point Jeremy avait pu se découvrir et s'exposer à la surveillance de ses ennemis. J'ai pensé que si j'étais encore là quand les flics arriveraient, je ne pourrais plus rien faire pour elle. Vous surtout, vous ne m'auriez pas lâché, vous vouliez me mettre à genoux. Alors j'ai filé par les toits, mais Khamal m'a suivi. Il était encore chez Jeremy quand j'ai forcé la porte et il m'a vu faire de sa planque. Gaylor a dit qu'il m'avait entendu donner une adresse au conducteur de la voiture que j'ai arrêtée, et c'est vrai que je criais comme un damné. Je ne pense à rien. Il a tout de suite prévenu Gaylor pour qu'il m'intercepte. Il était arrivé depuis longtemps ?

— Moins d'une minute.

— Vous avez sans doute erré tout le temps de cette enquête. Mais ce soir vous avez été grandiose. Si, grandiose. Mais pourquoi avez-vous attendu l'ultime seconde pour me tirer de là ? C'était un foutu risque. Il était tellement tendu, tellement grave. Il n'avait qu'à remuer l'index et la balle partait. Ce n'est pas grand-chose, n'est-ce pas ? De remuer l'index. C'est vite fait.

— Réfléchis. Je vous entendais mal tous les deux. Je voulais absolument comprendre votre conversation et je n'en saisissais que des morceaux. Je voyais bien qu'il tenait une arme dans ton dos, mais vous pouviez être deux complices en train de régler des comptes. Il fallait que je sache pour toi, que je sache de quel côté tu te trouvais.

— Notez bien qu'à présent, je ne vous en veux pas. Cette scène du square était d'un pur classique.

— N'est-ce pas ?

— Parfaitement.

— Vous pouviez par exemple vous quereller au sujet de la fille. Lui voulait la tuer et toi t'y opposant, farouchement, réflexe d'amour. Cela s'est vu. Et c'était presque la vérité. Elle, je l'ai vue à l'hôpital. Tu l'aimes assez ?

— Assez, reconnut Tom. Oreste aime Hermione, qui aime Pyrrhus, qui aime Andromaque, qui ne l'aime pas. Avez-vous appris ça ?

Il rit. Deux agents accoururent vers Galtier. Il n'y avait rien à faire, on ne le trouvait pas. L'un d'eux sanglotait presque d'exaspération. On avait saisi Khamal qui se glissait avenue de l'Observatoire, mais lui, le peintre...

— Il n'est sûrement pas peintre, rectifia Galtier.

— Lui, le peintre, il s'est anéanti. On a tout gardé, les plaques d'égout, les sorties de rues, les parkings, tout, et il s'est anéanti quand même.

Dans l'ombre, Tom vit le visage de Galtier se durcir à nouveau, le menton s'avancer. Il ne pouvait pas échapper. Paris avait des portes. La France avait des frontières. On le rattraperait. Il fallait être certain de cela. C'était impossible qu'on ne le rattrape pas.

18

On ne le rattrapa pas. Ainsi vont les certitudes, pensa Tom.

Et un mois plus tard, tout était rendu public. C'était une curée extasiée, le plus réussi des scandales de l'année, un nectar, et même ceux qui ne pratiquaient pas habituellement faisaient une exception à leur ascèse, pour cette fois, et l'appréciaient.

Tom achetait tous les journaux et découvrait les fosses abyssales de la presse. On titrait sur l'Affaire de manière variable selon le créneau de turpitude ou de digne distanciation qu'on entendait occuper. Et Tom découpait, classait.

Affaire Gaylor : l'inspecteur Galtier remonte aux sources – le dernier Maître de la peinture contemporaine était un faux. – Les progrès d'une difficile enquête – Depuis vingt ans, elle partageait la vie d'un assassin – Où est le vrai Gaylor ?

– La police laisse fuir le coupable, le scandale des complicités policières -

Tom soupira, entassa le tout dans un sac, et partit pour l'hôpital. Depuis hier, on avait autorisé les visites.

— Lequel veux-tu que je te lise d'abord ? demanda Tom.

Jeremy montra du doigt.

— Ne t'agite pas surtout.

— Je me tiens tranquille.

— Tu m'écoutes ? Tu ne vas pas t'endormir ?

Affaire Gaylor. L'Inspecteur Galtier remonte aux sources.

L'Affaire Gaylor avait commencé, on s'en souvient, par le meurtre d'un Américain, Robert Henry Saldon, au cours de la soirée annuelle prestigieuse donnée au domicile du peintre, l'une des célébrités les plus lumineuses de Paris. Elle vient aujourd'hui de trouver son terme, après un remarquable pistage de la police. Tu entends ça ?

— Ne t'interromps pas.

— *Jusqu'au bout, Gaylor sut apparaître comme la victime, et renversa les rôles. On le crut pourchassé par une vengeance venue le rattraper d'Amérique, née dans les bas-fonds de San Francisco il y a vingt-deux ans : tragédie mise en place par l'assassin lui-même sur la base de faits réels, afin de se préserver de tout soupçon éventuel.*

Mené de main de maître. Tout le monde s'est laissé prendre.

— Pas moi.

— *La police, qui ne possédait aucune preuve contre lui, laissa Gaylor aller son jeu, guettant l'occasion de le surprendre en faute.* Tu crois que les gens vont avaler ça ?

— Bien sûr qu'ils vont l'avaler.

— Galtier exagère.

— Ce n'est pas Galtier, imbécile. Ça vient de plus haut, là où bouillonne la dignité de la nation. On s'en fout, bon dieu ! continue.

— Ça me fait plaisir de voir que tu vas mieux. *Néanmoins, il fut impossible de prévenir l'assassinat de Louis Vernon, ni celui, manqué de très peu, de Jeremy Mareval, à présent hors de danger.*

— C'est toujours bon à savoir.

— *À San Francisco en 1963, R.S. Gaylor est déjà un peintre célèbre. Pour des raisons qui échappent encore, son demi-frère, de trois ans son cadet, James Arnold Gaylor, décide de se substituer à lui. Mais les deux frères, même s'ils se ressemblaient étonnamment, ayant tous deux hérité des caractères physiques remarquables de leur père, différaient trop sensiblement pour que la substitution puisse passer facilement inaperçue. À cet égard, le coup fut magistralement monté. Richard Samuel est enlevé. Un accident de voiture volontaire, qu'on attribua alors à une décision suicidaire, permet à James Arnold d'effectuer en souplesse sa prise d'identité, y sacrifiant une partie de son visage qu'il mutile. Il passe trois mois en clinique dans l'isolement le plus complet, le temps* nécessaire pour que s'effacent de la mémoire des intimes les détails précis du visage du frère aîné. Quand James Arnold sort de sa convalescence, sous le nom de Richard Samuel, une balafre et un œil à demi-clos déséquilibrent sa figure, déforment et dérèglent assez son expression pour qu'on ne cherche pas les traits anciens sous ce nouveau visage bouleversé par « l'horrible accident ». La disparition du frère cadet, quant à elle, n'inquiète personne ; on raconte qu'il a rallié les exploitations minières d'Amérique du Sud. Ainsi James entret-il dans le rôle de Richard. Par prudence, il fuit les soirées, évite les amis du passé de son frère, déserte les galeries de peinture. Il provoque délibérement autour de lui, par un excès ostensible de débauches, un véritable scandale de mœurs qui s'enfle à la mesure de sa célébrité. Bientôt, chacun en parle. La plupart s'indigne, accuse, conspue et porte plainte. C'est précisément ce qu'attendait James qui se saisit de ce prétexte pour s'exiler très naturellement de cette Amérique qui le condamne. En France, il sait que personne ne connaît précisément les traits de son aîné, et qu'il y sera en complète sécurité. Une fois à Paris, il cesse alors toute dissolution nocturne, devenue inutile.

» Il prend l'habitude d'outrer son apparence, exagérant les manies vestimentaires de son frère. Sa cape devient le bouclier de son identité. Qui porte la cape est le peintre. Gaylor ne s'en sépare plus, elle est son écran, la fumée masquant l'imposture.

» *Les toiles de son frère lui étaient livrées à échéance régulière en provenance de Cuernavacas au Mexique, où doit encore être retenu le véritable artiste, vivant sous un faux nom, et œuvrant dans l'ombre. On pense à présent qu'une menace a pu empêcher pendant toutes ces années Richard Samuel de révéler sa véritable identité.*

» *En vingt ans de ce trafic immonde, James devient immensément riche, et gagne, à la sueur du génie de son frère, la gloire, l'amour, la dévotion. Nul ne s'étonnait de ne le voir jamais peindre. Cette extrême pudeur, mise au crédit de son excentricité d'artiste, contribuait au contraire à déifier l'homme, rendait encore plus attirante cette création générée dans le secret et la solitude. Esperanza Morecruz, qu'il épouse à Paris, assure n'avoir jamais douté de l'« authenticité » de son mari, mais nul ne saura sans doute jamais son véritable sentiment.*

» Esperanza est une femme magnifique. Je ne la verrai plus.

— Dire qu'ils ont mis tant de temps à comprendre, dit Jeremy.

Tom se fit le serment rapide de ne pas s'énerver tant que Jeremy serait allongé et vulnérable.

— Je continue, dit-il fermement.

— Si tu continues, tu ne me croiras plus quand je te dirai ce que j'avais trouvé seul. Cela m'embête beaucoup.

— Je te croirai. Laisse-moi lire.

— J'ai ta parole.

Tom lui frappa dans la main et Jeremy crispa les mâchoires.

— Pardonne-moi, je t'ai fait mal.

— C'est vrai. Mais comme tu m'as sauvé la vie, je serai agréable à ton égard pendant encore une longue semaine.

— C'est aller contre tes principes. Tu ne devrais pas.

— Peut-être, mais c'est ce que j'ai décidé.

— Si tu m'interromps sans cesse, on n'en terminera jamais avec cette foutue salade. Bon. Il est en France, marié, riche comme tout, tranquille comme Baptiste, avec sa belle gueule et sa cape. Non, qu'est-ce que j'ai pu l'aimer ! Il ne faut pas que j'y pense. J'ai aimé un assassin.

— C'est toi qui t'interromps maintenant.

— *Le 23 juin, un événement imprévisible menace brusquement cet admirable édifice. Un ami oublié du vrai peintre, Robert Henry Saldon, ancien dessinateur et portraitiste, arrivé à Paris pour affaires. Il prend sans doute connaissance par la presse de la soirée annuelle donnée chez Gaylor, et parvient à se procurer une fausse invitation, vendue très cher au marché noir. Sans doute espère-t-il se rappeler à la mémoire de son ancien ami et lui emprunter quelque argent. Il fait la connaissance de Thomas Soler, un jeune artiste qui le pilote dans Paris et l'accompagne à la soirée fatale.*

» Tu vois, mon nom est dans le journal. Mon nom nage dans cette infâme bouillie.

» *On pense maintenant que Robert Saldon n'a pas reconnu le peintre en son hôte. Il avait observé et dessiné maintes fois le visage et les mains du véritable Gaylor. Si le visage était vieilli et mutilé, ses mains ne l'ont sans doute pas trompé. Saldon sut à l'instant que ce n'était pas Richard qui était devant lui, mais James. Entraîne-t-il Gaylor dans son bureau pour lui proposer un marché en échange de son silence ? On le croit. Mais Gaylor n'entend pas anéantir tant d'années d'efforts : c'est le premier meurtre.*

» *Il glisse dans les poches de sa victime l'argent qui provient de son secrétaire, donnant ainsi une raison plausible à la présence de Saldon dans son bureau : le vol. Mais il sait que personne n'avait de raison de tuer Saldon, qu'il sera facile de constater que nul ne le connaissait ce soir, sinon lui seul, Gaylor. Alors il a l'idée géniale de couvrir le corps d'une de ses capes, laissant à la police le soin de s'égarer sur la piste d'une éventuelle méprise. Ainsi apparaîtrait-il comme menacé et non comme seul suspect possible.*

» *Il se sert dans ce but de Thomas Soler, le principal inculpé qui s'était enfui après la découverte du corps, qu'il convoque secrètement, et qu'il charge à son insu de véhiculer le doute et le trouble. Le projet de Gaylor progresse à merveille dans l'esprit malléable du jeune Soler, qui est bientôt convaincu de la menace qui guette le peintre.*

— Tu as le rôle de l'imbécile complet, intervint Jeremy.

— Je m'en suis aperçu tout seul. *Malgré tout, la police n'abandonne toujours pas la piste Saldon, dont le passé révèle quelques troubles passages. Gaylor s'alarme. Le risque est grand qu'en fouillant l'existence et les archives de Saldon, on ne découvre quelque indice qui compromette sa sécurité. Des dessins de mains par exemple. Il sait combien Saldon et Richard avaient été liés pendant quelques années et quelle était la spécialité obsessionnelle du dessinateur. Il faut donc à tout prix que la police détourne son attention de Saldon.*

» *Pour y parvenir, il se décide à apparaître ouvertement comme la cible véritable du meurtrier, le soir de la réception. Son année 1963, passée à San Francisco à créer le scandale, est assez riche en crapuleuses anecdotes pour offrir un terrain fangeux où la police puisse s'embourber sans espoir de retour. De cette époque agitée, il garde deux cicatrices sur les bras, glanées un soir au cours d'une rixe, avec un jeune ami français, Louis Vernon. Il amplifie cette histoire et y ajoute l'ombre confuse d'une vengeance mortelle, déterminée à les rattraper tous les deux.*

» *Pour amorcer la partie, il lui faut tuer Louis. Devant se ménager un alibi sans faille, il charge Khamal Tewfik de la besogne. Puis, comme à contrecœur, Gaylor révèle à la police l'existence du danger qui les poursuivait tous deux.*

» *Dès lors, tout s'oriente comme il le souhaite : la police, convaincue, délaisse Robert Saldon. On protège Gaylor, on cherche le meurtrier du côté de l'Amérique. Seul Gaylor sait que l'enquête s'épuisera dans la recherche vaine d'un vengeur qui n'existe pas, et que l'affaire aboutira au non-lieu et sera bientôt classée...* Tu suis toujours, Jeremy ? Tu as les yeux fermés.

— Je t'écoute tout de même.

— On parle de toi à nouveau.

— Excellent. Dis-moi ça.

— Courageux, brillant. En cherchant la confimation sur Gaylor de ta découverte théorique, tu joues mal ta partie et il te devine. Il te fait suivre par Khamal. Tu t'es drôlement mal débrouillé ce soir-là.

— C'est écrit ?

— Non. C'est moi qui parle. Tu as même été très médiocre.

— Si tu veux.

— Tu te fais tuer. J'arrive, je te sauve. Je me fais presque complètement tuer. Galtier me tire de là. « *J'ai vécu un cauchemar* », *raconte Thomas Soler.* Mais je n'ai jamais dit ça !

— Et alors ?

Tom jeta le journal à travers la chambre et posa ses pieds sur la barre du lit.

— Bon Dieu ! dit-il. J'ai constamment pensé de travers, je suis humilié. Piétiné. Je ne sais pas penser droit.

— Galtier n'a pas fait mieux.

— Jeremy c'est à toi maintenant. Sans effets inutiles je t'en prie.

— Une seule question : QUI était mort ?

— Saldon.

— Et voilà. C'était Saldon le mort. C'était le seul fait vrai qu'on possédait et on commençait déjà à l'oublier. Je me suis obstiné sur cette évidence. Et cette histoire de cape était idiote. Voler une cape aussi fameuse au milieu d'une soirée de trois cents personnes... Et surtout, se la mettre sur les épaules ! Cela ne t'a pas paru grotesque ?

— Non.

— Et pourtant si, ça l'était. On l'aurait retrouvée pliée en boule, serrée sous son bras, tout aurait été autrement. Mais on l'a retrouvée sur son dos, et c'était impossible, imbécile. Quelqu'un lui avait mis la cape. À qui cela pouvait-il servir ? À Gaylor d'abord, avant quiconque, parce que cette disposition l'innocentait absolument. C'était plutôt facile, comme tu le vois. Je suis parti de là. Pourquoi Gaylor aurait-il tué Saldon ? Je savais que Saldon était dessinateur, tu me l'avais raconté, et qu'il revoyait son ami pour la première fois depuis plus de vingt ans. Et ce soir-là, on le tue net, d'urgence, sans différer. Gaylor avait donc dû être pris par surprise. J'ai conclu assez vite à une affaire de substitution de personne. En effet, qu'est-ce que Saldon, qui vivait loin depuis des années, aurait pu savoir de menaçant pour Gaylor ? Rien. Saldon connaissait Gaylor et c'est tout, et pour cette raison, on le tue. Tu suis ? Tout s'alignait : l'accident, le visage abîmé, l'exil, le secret autour de sa peinture. Mais c'était un simple montage d'idées. J'ai espéré trouver à Frisco, dans les cartons de Saldon, des dessins de son ancien ami. Quand j'ai vu la précision de ces dessins, j'ai compris que Saldon n'avait pu oublier aucun détail du vrai Gaylor. Et j'ai trouvé. Un croquis de ses mains. Il y en avait plusieurs d'ailleurs, j'ai emporté le meilleur.

» Mais moi, je n'avais jamais vu le peintre. Et je ne pouvais pas savoir si ces mains étaient ou non les siennes. Il fallait que je compare. Je croyais qu'un simple coup d'œil devait me suffire pour dire si ma solution était la bonne. Ensuite seulement, je me donnais le droit de parler. Mais il m'a fallu plus qu'un coup d'œil pour apprécier la forme de ses mains, c'était moins évident que je ne me l'étais figuré. Et c'est comme ça que je me suis fait cueillir. J'ai trop voulu regarder ses mains. Il a senti tout de suite le danger qui venait de moi. C'est un homme très fort.

— Sur la fin, tu n'as pas été très bon.

— Tu l'as déjà dit. Mais avant j'ai été excellent. Tu dois l'admettre, Tom.

— C'est vrai.

Il était interdit de fumer dans les chambres et Tom alluma une cigarette.

— Tu sais Jeremy, j'avais laissé un carton à dessert dans l'escalier du cinquième étage avant de te trouver mort gisant. Je me demande ce qu'il est devenu. Peut-être quelqu'un l'a-t-il mangé.

— C'est à des choses comme cela que tu penses ?

— Non, pas du tout.

— Tu penses à Gaylor ? À Louis ?

— Je ne pense à rien. Si. Je pense sérieusement à ce carton à dessert maintenant.

— Tu es sûr que c'était un dessert qui valait le coup ?

Tom fit la moue. On ne le saurait jamais maintenant. C'était foutu.

— Tu vas dormir, dit-il à Jeremy. Je t'abandonne le tas de journaux.

— Tu n'en veux plus ?

— Non. Je n'en veux absolument plus.

Tom se leva, et se retourna, la main sur la poignée de la porte.

— Je n'aime pas trop cette histoire. Elle me rend triste.

— C'est passé, maintenant.

— Oui, tout à fait.

19

Tom avait eu son nom dans les journaux. Plusieurs fois de suite et dans beaucoup de journaux. Un soir en rentrant chez lui, il ramassa une enveloppe glissée sous sa porte. La Galerie Verens souhaitait vivement le rencontrer. Tom sourit. Rien de tel que le fumier pour faire croître les plus hautes plantes. Il revit Gaylor tourné vers lui, avec son sourire désarmant, qui lui disait qu'il s'occuperait de lui quand toute cette histoire serait finie. D'une certaine manière, d'une manière un peu atroce, il tenait parole. Mêler son nom à celui de Gaylor, même dans le sang et la honte, cela produisait encore un certain effet. Finalement, personne n'avait connu le vrai Gaylor à Paris, il n'était qu'une idée abstraite, et en dépit de tout, James en restait la seule incarnation divine. L'autre n'existait pour personne, c'était un mot.

Tom s'arrêta quelques instants sur la question d'éthique que soulevait cet appel de la Galerie

Verens, cet honneur simplement gagné à l'écho morbide fait autour de son nom. Refuser avec hauteur serait noble et magnifique. Tom appela la Galerie Verens pour dire qu'il était d'accord. On viendrait voir ses toiles demain.

Il serait exposé, il en était certain. Et il y aurait beaucoup de monde à l'accrochage, qui viendrait au plus près respirer les effluves putrides de la tragédie. Verens organiserait ça très vite, avant l'oubli.

Il y eut en effet du monde. Tom adressa un signe à Jeremy, presque remis, qui s'appuyait sur une canne à l'entrée de la galerie. Il y avait cinq grandes toiles de Tom, et il préférait ne pas s'interroger sur la nature du succès qu'elles remportaient. Quelqu'un lui disait que ça avait dû être tellement horrible quand Gaylor avait manqué l'assassiner. Et Tom répondait depuis le début que ça n'avait pas été horrible, au contraire, que ça avait été très chic et que ça avait été une excellente soirée. C'était ce qu'il avait convenu de répondre et il s'en tenait là, avec la satisfaction de mettre dans l'âme de ses interlocuteurs une déception profonde.

Lucie était postée près de ses toiles, avec mission de rapporter exactement tout ce qu'on aurait pu en dire. Tom guettait ses Anges. Il souhaitait désespérément qu'il ne vienne à l'idée de personne de les acheter. Il était exclu que ses Anges déchus sous un ciel alourdi d'oiseaux puissent partir, puissent le quitter pour toujours, d'une manière aussi idiote que l'achat distrait d'un inconnu. Il avait refusé d'exposer cette toile mais Verens avait posé ses conditions. Et puis, quelqu'un se déplaça, et Tom vit dans l'angle la pastille rouge qui marquait la toile comme une petite blessure. Vendue. Il ne pouvait pas laisser cette chose se faire, il la reprendrait, il supplierait.

Il quitta aussitôt la salle, passa dans le bureau, et feuilleta avec précipitation le registre. *Vendu. Thomas Soler. Les Anges aux figures sales. Huile sur toile. 2.40/1.80.* Et puis la date, la signature.

Tom se laissa tomber sur une chaise et s'étira. C'était bien. Ils pouvaient aller, il n'y avait pas à se faire de bile pour eux. Galtier les emportait. Tom le revit, venant l'arrêter le lendemain du meurtre, immobile contre la porte, les cils longs et les yeux sombres. Il ne s'était donc jamais trompé sur le visage de Galtier.

Le monde de la peinture gisait, il se traînait comme un invalide. Les toiles de Gaylor avaient cessé de soutenir sa marche. Malgré les appels et les recherches, le véritable créateur, bien qu'à présent libéré de son servage, n'avait pas donné signe de vie. Les prix des anciennes toiles flambaient, mais plus rien ne garantissait l'avenir. Steller, qui tenait depuis dix ans le peintre sous contrat, s'était prostré dans la terreur de la chute. On continuait de dramatiser l'histoire du long calvaire d'un prisonnier de génie qui restait introuvable. Elle tournait déjà à la légende. Sans doute avait-il été tué, sitôt l'annonce publique de la fuite de l'assassin.

Et puis un matin, un courrier parvint d'Argentine, adressé à la presse de Paris, et en une heure, il n'y eut plus un seul journal dans la ville.

— Extraordinaire, murmura Tom.

Depuis qu'il s'était levé, il ne pouvait rien faire d'autre que relire cette page :

À Paris,

Vous savez tous que j'ai tué et je n'ai pas envie de m'en défendre.

On raconte à présent que j'ai aussi assassiné mon demi-frère Richard Samuel, et dans quelques semaines, chacun l'affirmera. Pourtant, il est vivant et libre, marié et père de quatre enfants. C'est à moi seul qu'il doit sa liberté, et aucune force au monde ne le fera reparaître devant vous.

Il y a vingt-deux ans, Richard a tué sa femme. Et moi, j'aimais désespérément cette femme. Il l'a tuée, écrasée contre un mur par jalousie démente. À l'époque, grâce au témoignage d'un homme soudoyé, on attribua cette mort à l'intrusion d'un cambrioleur chez elle. C'est faux. C'est Richard qui l'a fait, et je l'ai vu faire, trop tard, hélas. Je n'ai jamais tant exécré un homme, aussi brusquement et aussi longtemps. Ni la prison ni la mort ne me parurent assez douloureuses pour lui. Je décidai de lui arracher à lui aussi ce qu'il avait de plus cher, c'est-à-dire lui-même.

Je lui proposai de transformer son crime en cambriolage, et il en fut tout de suite d'accord et me remercia. Richard était cruel et lâche. Personne n'était au courant de ma présence chez lui ce soir-là. Je m'y étais introduit de nuit pour rencontrer cette femme. Je lui conseillai de saccager la chambre, renverser les tiroirs, forcer la porte. Un faux témoignage acheva de clore l'affaire.

Ainsi, par mon intervention, Richard fut sauvé. Mais elle, elle était morte. Je mis en main le marché à mon frère : il me concédait son identité, sa célébrité, son œuvre, ou bien je le dénonçais et il mourait sur la chaise électrique. Richard hurla et se résigna. Quel choix avait-il ? Le silence, ou la mort. Il me remit ses papiers, ses habits, ses habitudes, ses objets personnels, ses manies, ses sales manies, je les endossai avec répugnance, et il s'éclipsa dans une ville que j'avais choisie pour lui, sous un nom que j'avais choisi pour lui. J'ai eu à le dépouiller un plaisir peu commun, mais qui n'a jamais suffi à couvrir mon chagrin.

La suite est à présent connue. Il est libre. Il vous faudra attendre sa mort naturelle pour que vous parviennent, dans vingt ans peut-être, ses dernières toiles. Cette retraite n'a, vous le concéderez, jamais altéré son génie, elle l'a même décuplé. Car Richard est aussi un génie.

Je continue de l'exécrer sans trêve. Le meurtre originel est son œuvre. Ma vie s'est simplement enroulée dans la sienne, comme l'art fut entraîné derrière son œuvre. Je ne détestais pas Saldon, mais j'ai dû le tuer. C'est sur mes ordres qu'ensuite

Khamal a tué Louis, que j'aimais bien, et blessé
Jeremy Mareval. J'aurais tué Thomas Soler aussi.
Ma femme n'a jamais rien su.

La famille Gaylor vous salue,

James Arnold

Tom étouffait et serra sa tête dans ses bras
pendant que les radios commentaient avec une
frénésie vampire les révélations de James Gaylor.

Dans les jours qui suivirent, les recherches
reprirent aussitôt de l'élan. Il était en Argentine,
on le trouverait et il paierait. Tom sourit et coupa
la radio. Il agitait entre ses doigts un aérogramme
qu'il venait de recevoir. Une petite feuille de léger
papier où figurait en haut à gauche une adresse
complète à Lima, Pérou. Tom avait reconnu le
paraphe déchu, et lu ces mots : « *Si la nature a*
bien ou mal fait de briser le moule dans lequel elle
m'a jeté, c'est ce dont on ne pourra juger qu'après
m'avoir lu. »

Thomas, tu connais à présent mon histoire. Je
ne puis décider seul de la fin, il me faut le juge-
ment d'un homme. C'est toi que j'ai choisi pour
cette tâche. Je resterai deux semaines à cette
adresse. À présent, c'est à toi la donne,

James Arnold Gaylor

Gaylor se livrait à lui, Gaylor s'en remettait
à sa justice. Tom pensa à Saldon. Il revit avec un
frisson le corps de Louis étranglé, Jeremy éventré,
immobile et sanglant, et le métal de l'arme contre
sa nuque. L'assassin était à lui.

Tom ne chercha pas à différer son jugement, il savait ce qu'il avait à faire. Souriant et tremblant, assis sur son lit, il gratta une allumette et la feuille partit en une petite flamme. Ce n'était qu'une petite flamme de rien, mais malgré tout il s'y prit mal et se brûla le doigt. La main levée, il appela Jeremy.

— Je voulais te dire absolument que je m'étais brûlé le doigt, dit-il.

— Et après ?

— Rien, ça chauffe, c'est épatant.

Il y eut un silence, et Jeremy dit qu'il avait bien fait, si cela lui faisait plaisir.

DANS LA COLLECTION MASQUE POCHE

DANS LA MÊME COLLECTION

LES TRENTE-NEUF MARCHES
John Buchan

CHAMBRES FROIDES
Philip Kerr

MASQUE POCHE

LE MASQUE
s'engage pour l'environnement
en réduisant l'empreinte carbone
de ses livres.
Celle de cet exemplaire est de :
300 g éq. CO$_2$
Rendez-vous sur
www.lemasque-durable.fr

PAPIER À BASE DE
FIBRES CERTIFIÉES

Composition réalisée par JOUVE – 45770 Saran

Achevé d'imprimer en France par
CPI Bussière
N° d'imprimeur : 2045930
Dépôt légal : Juillet 2019 – Édition 08